Practical
Guideline
for Effective
and Safe Filler
Procedures

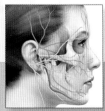 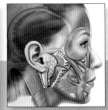

Filler techniques based on in-depth
anatomical deliberation by 9 experts

해부학을 바탕으로 한
전문가 9인의 **필러 테크닉**

필러 시술의 정석

저자 **홍기웅** 외 8인

Practical Guideline for Effective and Safe Filler Procedures
Filler techniques based on in-depth anatomical deliberation by 9 experts

필러 시술의 정석
해부학을 바탕으로 한 전문가 9인의 필러 테크닉

첫째판 1쇄 인쇄 | 2018년 7월   06일
첫째판 1쇄 발행 | 2018년 7월   20일

지 은 이 홍기웅 외 8인
발 행 인 장주연
기   획 이성재
편   집 박미애
편집디자인 양은정
표지디자인 김재욱
일 러 스 트 이호현
제 작 담 당 신상현
발 행 처 군자출판사(주)
         등록 제4-139호(1991. 6. 24)
         본사 (10881) **파주출판단지** 경기도 파주시 회동길 338(서패동 474-1)
         전화 (031) 943-1888   팩스 (031) 955-9545
         홈페이지 | www.koonja.co.kr

ISBN 979-11-5955-334-9

정가 150,000원

Practical Guideline for Effective and Safe Filler Procedures

Filler techniques based on in-depth anatomical deliberation by 9 experts

필러 시술의 정석

해부학을 바탕으로 한
전문가 9인의 **필러 테크닉**

집 필 진

홍 기 웅

의학박사, 성형외과 전문의, 샘스킨 성형외과 원장
대한 성형외과학회 정회원, 대한 미용성형외과학회 정회원
대한 최소침습성형학회 학술이사, 국제임상피부미용연구회 회장
갈더마 코리아, 휴젤 파마, 멀츠 코리아, 종근당 자문위원
중앙대학교 부속병원 성형외과 외래교수, 레스틸렌 글로벌 키닥터

김 의 식

현) 프렌즈 성형외과 원장
전남대학교병원 성형외과 레지던트 수료
전남대학교 의과대학원 석,박사학위 취득
대한성형외과학회 성형외과 전문의
대한성형외과학회 정회원
대한미용성형외과학회 정회원

김 현 조

CNP홀딩스 이사, CNP차앤박피부과 원장
순천향의과대학 졸업
순천향의과대학 피부과학교실 외래교수
KAAD(대한피부항노화학회) 간행이사, KACD(피부교정치료학회) 교육이사
대한피부과학회 정회원, 대한피부과의사회 정회원

박 정 준

현) 드림업성형외과 원장
전남대학교 의과대학 졸업
전남대학교병원 성형외과 수련
대한성형외과학회 정회원
대한미용성형외과학회 정회원

백 형 익

성형외과 전문의
별성형외과 대표원장
대한성형외과학회 정회원, 대한미용성형외과 학회 정회원
국제임상피부미용 연구회 총무이사
갈더마 코리아, 엘러간 코리아 자문위원

윤 춘 식

예미원 피부과 원장, 피부과 전문의, 서울대학교병원 피부과 자문의
서울대학교 의과대학 졸업/서울대병원 전공의 수료, 전문의 취득
대한피부과의사회 학술위원, 대한피부항노화 연구회 총무이사/간행 위원장
대한피부미용외과학회 이사, 대한여드름학회 이사, 국제임상피부미용연구회 정보이사
레스틸렌, 멀츠, 파마리서치, LG, 대웅, 휴온스 키닥터 및 임상자문의(Advisory Board Member)

집 필 진

이 용 우

라이크(LIKE) 성형외과 원장, 성형외과 전문의
대한성형외과학회 최소침습연구회(MIPS) 상임이사
IMCAS(International Master Course on Aging Skin) 학술이사
대한성형외과학회 정회원
대한미용성형외과학회 정회원

임 이 석

의학박사, 피부과 전문의, 임이석테마피부과 대표원장, 전 대한 피부과의사협회 회장
대한 피부교정치료학회(KACD) 회장, 대한 탈모치료학회 회장, 전 대한 피부레이저학회 감사
대한 모발학회 이사, 대한피부과의사회 고문, 대한 피부과의사회 홍보위원장
대한피부과학회 대외협력 위원장, 국제 임상피부미용연구회 회장
중앙대 부속병원 피부과 외래교수, 가천대 피부과 외래교수, 코스메슈티컬 케어놀로지 대표

정 원 석

가천대학교 의과대학 해부학교실 조교수
연세대학교 의과대학 졸업
연세대학교 대학원 석사
연세대학교 대학원 박사

발간사

필러 시술은 미용 시술에 있어 가장 중요한 시술로 자리 매김하고 있으며 최근 10년간 지속적으로 많은 발전을 이루었습니다.

하지만, 많은 발전을 이루었다는 말은 아직도 정확한 필러 시술 가이드 라인이 정해져 있지는 않다는 말이기도 합니다. 실제로 필러 시술을 하면서, 예전에 정답으로 알고 있었던 지식들이 잘못된 지식으로 판명 나는 경우도 많이 보고 있습니다.

따라서, 본 책의 집필 의도는 1) 필러 시술에 있어서 아직까지는 하나의 정답이 있지 않고, 다양한 접근 방법이 존재한다는 것과 2) 필러 시술의 정답을 찾아가는 과정을 보여주는 데 있습니다.

저희 집필진들은 필러 시술의 정답을 해부학에서 찾고자 하였습니다. 정확한 해부학을 통해서만 효율적이고, 안전한 시술 가이드 라인을 만들 수 있다고 생각합니다.

책의 형식을 보면 우선 해부학 교수님이 안전하고 정확한 필러 시술을 위한 안면부 해부학에 대해 기술하고, 성형외과 전문의 5명과, 피부과 전문의 3명이 같은 얼굴 부위에 대해 각자의 시술법을 기술한 후, 각 장의 말미에 간략하게 시술법을 표로 정리하였습니다. 이 책에는 해부학, 성형외과, 피부과 의사들의 다양한 관점들이 녹아 들어가 있으며, 해부학적인 관점과 실제 임상에서 환자에게 시술 시 생길 수 있는 차이를 메꾸어 줄 수 있는 많은 아이디어들이 가감 없이 기록되어 있습니다.

저자 각각의 시술 방법과 관점이 같을 수도 있고, 다를 수도 있습니다. 이는 아직은 누구에게나 적용되는 공식화된 필러 시술법은 없다는 것을 의미하기도 합니다. 이 책을 통해 여러분 각자의 필러 시술법과 비교한 후 더 좋은 시술법을 만들어 나갈 수 있을 것이며, 이를 통해 궁극적으로 더 좋은 필러 시술 결과를 만들어 낼 수 있기를 바랍니다.

아직은 부족하지만, 아무쪼록 이 책이 정확하고 안전한 필러 시술을 하는 데 있어 여러분들에게 많은 도움이 되었으면 합니다.

ICALA(국제임상피부미용연구회) 임원진 일동

목 차

목 차

해부학

정원석

얼굴의 층은 머리덮개(scalp)와 마찬가지로 기본적으로 피부, 피부밑층, 얼굴널힘줄계통, 성긴조직, 깊은근막의 다섯 층으로 이루어져 있다(Figure 1-1).

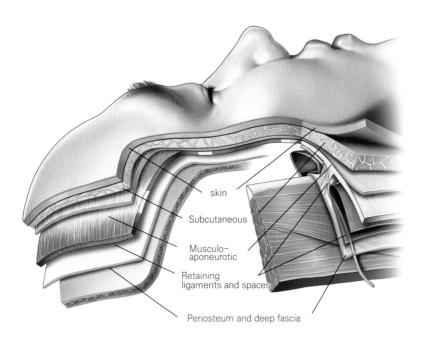

Figure 1-1. Layers of face

1. 피부 Skin

피부의 두께는 부위마다 차이가 있으며 눈꺼풀이 가장 얇고 뺨과 코끝이 가장 두껍다. 하지만 목의 피부가 가장 두껍다는 한국인을 대상으로 한 연구결과도 있다.

2. 피부밑층 Subcutaneous layer

피부밑층은 얕은지방(superficial fat)이라고 불리며 연속된 것처럼 보이지만 여러 개의 칸 (compartment)으로 나뉘어 있다(Figure 1-2). 노화에 의해 볼륨이 늘어나거나 아래로 처지게 된다.

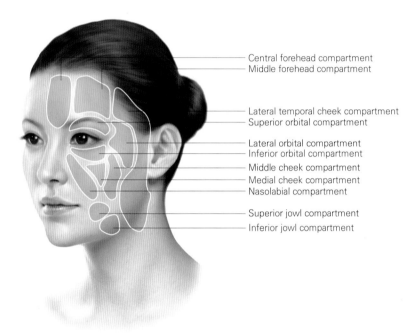

Central forehead compartment
Middle forehead compartment

Lateral temporal cheek compartment
Superior orbital compartment

Lateral orbital compartment
Inferior orbital compartment
Middle cheek compartment
Medial cheek compartment
Nasolabial compartment

Superior jowl compartment
Inferior jowl compartment

Figure 1-2. Superficial fat compartments

3. 얼굴널힘줄계통 Superficial musculoaponeurotic system; SMAS

얼굴널힘줄계통은 얼굴의 표정근육과 이와 연결된 SMAS로 '얼굴의 근육'에서 다룬다.

4. 성긴 조직 Loose areolar tissue

성긴 조직에는 여러 이름이 붙은 공간(space)들이 있고 유지인대(retaining ligament)가 가로지르며 깊은지방(deep fat)이 위치한다. 얼굴신경(facial n.) 역시 SMAS보다 깊이 달리므로 성긴 조직 층에 위치한다. 성긴 조직에 위치한 공간으로는 광대뼈앞공간(prezygomatic

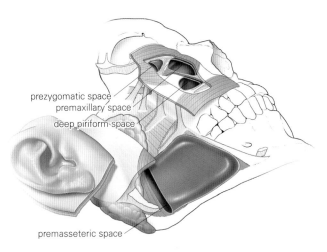

prezygomatic space
premaxillary space
deep piriform space

premasseteric space

Figure 1-3. Facial spaces

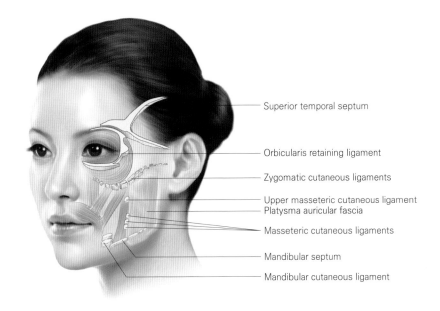

Superior temporal septum

Orbicularis retaining ligament

Zygomatic cutaneous ligaments

Upper masseteric cutaneous ligament
Platysma auricular fascia

Masseteric cutaneous ligaments

Mandibular septum

Mandibular cutaneous ligament

Figure 1-4. Retaining ligaments of face

space), 위턱뼈앞공간(premaxillary space), 깨물근앞공간(premasseteric space), 깊은뼈콧구멍공간(deep piriform space) 등이 있다(Figure 1-3). 유지인대는 뼈에서 일어나는 참유지인대와 근육을 덮는 근막에서 일어나는 거짓유지인대가 있으며 피부의 진피에 부착하여 공간들 사이의 경계를 강화해준다(Figure 1-4). 깊은지방은 눈둘레근밑지방(suborbicularis oculi fat;

SOOF), 눈둘레근뒤지방(retroorbicularis oculi fat; ROOF), 깊은안쪽볼지방(deep medial cheek fat), 볼지방체(buccal fat pad) 등이 있으며 노화에 의해 대체로 볼륨이 감소한다.

5. 깊은근막 Deep fascia 과 뼈막 Periosteum

깊은근막은 뼈막에서 연속된 것으로 관자근(temporalis m.)과 깨물근(masseter m.)을 덮는 근막이다. 깊은관자근막(deep temporal fascia)은 깊은층(deep layer)과 얕은층(superficial layer)으로 갈라지며 광대활(zygomatic arch) 위모서리에 부착한다. 귀밑샘깨물근막 (parotidomasseteric fascia)은 아래턱뼈의 뼈막과 연속되며 깨물근과 깨물근 표면의 귀밑샘을 감싸고 역시 광대활 아래모서리에 부착한다.

6. 머리뼈

아시아인의 머리뼈는 서양인에 비해 앞뒤 길이가 짧고 좌우 너비가 넓다. 머리뼈의 높이도 위 아래로 더 긴 편이다. 광대뼈는 두드러지며 코뿌리는 낮고 앞코가시도 짧다. 머리뼈는 노화에 의해 재흡수가 일어나 특히 위턱뼈의 눈확아래부위(infraorbital area)에서 부피가 감소하지 만, 서양인에 비해 눈확부위나 뼈콧구멍(piriform aperture)의 변화는 크지 않은 것으로 알려 져 있다(Figure 1-5).

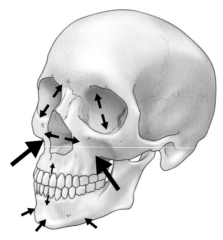

Figure 1-5. Bone change with aging

얼굴의 근육

정원석

얼굴에는 둘째인두굽이(2nd pharyngeal arch)에서 기원한 얼굴표정근(facial expression muscle, mimic muscle)과 첫째인두굽이(1st pharyngeal arch)에서 기원한 씹기근육(masticatory muscle)이 있다. 얼굴표정근은 얼굴신경(facial nerve)의 지배를 받으며 머리덮개널힘줄(galea aponeurotica), 얕은관자근막(superficial temporal fascia), 얼굴널힘줄계통(superficial musculo-aponeurotic system, SMAS)과 연결되어 얼굴의 세 번째 층에 위치한다. 뼈와 뼈를 연결하여 관절에서 움직임을 일으키는 일반적 근육과는 달리 피부로 닿기 때문에 얼굴표정근이 수축하면 피부에 주름을 만들며, 이 주름은 근육섬유방향과 직각 방향을 이룬다(Figure 1-6, 7).

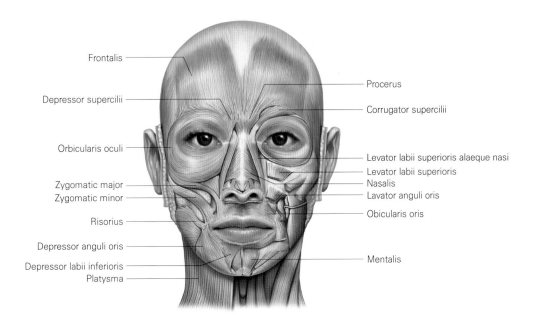

Figure 1-6. Muscles of facial expression. Anterior view.

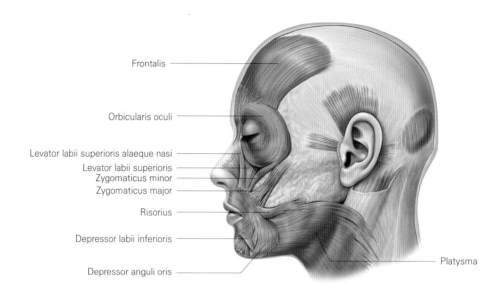

Figure 1-7. Muscles of facial expression. Lateral view.

1. 위얼굴의 근육 Muscles of upper face

1) 이마근(frontalis muscle)

이마근은 뒤통수이마근(occipitofrontalis m.)의 일부로, 머리덮개널힘줄(galea aponeurotica)에서 일어나 아래쪽으로 달려서 눈둘레근(orbicularis oculi m.), 눈살근(procerus m.), 눈썹내림근(depressor supercilii m.), 눈썹주름근(corrugator supercilii m.)의 섬유와 깍지끼듯 닿는다. 따라서 이마근은 머리뼈에 부착하는 부분이 없으며 이마근과 머리뼈 사이에는 머리덮개지방덩이(galeal fat pad)가 존재한다.

이마근은 아래쪽에서 양쪽의 힘살이 합쳐져 있으나 눈확위모서리(supraorbital margin)로부터 평균 47 mm 위에서 양쪽의 힘살로 갈라지고, 갈라지는 높이는 개인마다 다양하며 대략 10%에서는 갈라지지 않는다. 이마근은 눈썹을 올리는 유일한 근육이고 이마에 가로주름을 만들며 이마가로주름의 다양한 형태는 이마근의 다양한 형태를 반영한다. 이마근의 가쪽모서리는 관자능선(temporal crest)보다 평균 9 mm 가량 가쪽에 위치한다.

2) 눈살근(procerus m.)

눈살근은 역삼각형의 작은 근육으로 코뼈(nasal bone)와 가쪽코연골(lateral nasal cartilage)에서 일어나 위쪽으로 부채꼴처럼 퍼지면서 달려 이마근의 섬유와 깍지끼듯 맞물리며 눈썹 사이 미간(glabella)의 피부로 닿는다. 미간을 아래로 끌어내려 코뿌리(radix) 부위에 가로주름을 만든다.

3) 눈썹내림근(depressor supercilii m.)

눈썹내림근은 이마위턱봉합(frontomaxillary suture) 조금 아래쪽 위턱뼈 이마돌기(frontal process of maxilla)에서 일어나 위쪽으로 퍼지면서 달려 안쪽눈꺼풀인대(medial palpebral ligament)로부터 15 mm 위쪽의 눈썹 안쪽 부분의 피부로 닿는다. 눈썹주름근(corrugator supercilii m.)과 함께 작용하여 눈썹의 안쪽 부위를 아래로 끌어내린다.

4) 눈썹주름근(corrugator supercilii m.)

눈썹주름근은 눈둘레근(orbicularis oculi m.)에 덮여 깊게 위치한 근육으로 표면에서 관찰되지 않는다. 눈썹활(superciliary arch) 안쪽끝부위의 뼈에서 일어나 위가쪽으로 비스듬하게 달려 이마근과 깍지끼며 눈확위모서리(supraorbital margin) 중간부위의 피부로 닿으므로, 주행 중 근육의 깊이가 변하여 이는곳에서는 깊게 위치하지만 닿는곳은 비교적 얕게 위치한다. 이는곳의 너비는 대략 1 cm, 닿는곳의 너비는 대략 2 cm이고 근육의 가쪽경계는 안쪽눈구석을 지나는 수평선과 정중선을 각각 x, y축으로 하는 좌표에서 (15 mm, 15 mm), (35 mm, 30 mm) 두 점을 잇는 선이 된다. 눈썹을 아래안쪽으로 끌어 모아 미간에 세로주름을 만든다.

2. 중간얼굴의 근육 Muscles of midface

1) 눈둘레근(orbicularis oculi m.)

눈둘레근은 눈꺼풀틈새(palpebral fissure)를 둘러싸는 일종의 조임근(sphincter)으로 눈을 감는 작용을 한다. 안쪽보다 가쪽이 넓은 찌그러진 타원형의 근육으로 그 형태가 마치 aviator sunglass의 모양을 닮았다. 뼈에서 일어나는 눈확부분(orbital part)과 안쪽눈꺼풀인대(medial palpebral ligament)에서 일어나는 눈꺼풀부분(palpebral part)으로 나뉘며, 눈꺼풀부분은 다시 눈확가로막앞부분(preseptal part)과 눈꺼풀판앞부분(pretarsal part)으로 나뉜다. 눈꺼풀부분은 눈을 살며시 감을 때 작용하고 눈확부분은 눈을 꼭 감을 때 작용하여 눈가에 방사상의 주름(crow's feet)을 만든다. 눈둘레근의 가쪽부분은 근육섬유가 수직방향으로 달리기 때문에 이마근과 반대로 가쪽 눈썹을 내리는 데 작용한다.

눈둘레근 눈확부분의 섬유는 대체로 둥그렇게 연속적으로 돌아가지만 가쪽부분이 아래안쪽으로 돌지 않고 끊어지는 부분과 안쪽부분이 아래가쪽으로 완전히 돌지 않고 끊어지는 부분이 있어서 이들을 각각 가쪽띠(lateral band)와 안쪽띠(medial band)라고 한다. 눈둘레근의 가쪽모서리는 가쪽눈구석(lateral canthus)과 귀구슬(tragus)을 잇는 선을 4:6으로 나누는 점과 일치하며 광대뼈 이마돌기(frontal process of zygomatic bone)의 가쪽모서리보다 가쪽으로 1 cm 가량 떨어져 있다.

2) 코근(nasalis m.)

코근은 위쪽의 가로부분(transverse part)과 아래쪽의 콧방울부분(alar part)으로 구성되어 있다. 가로부분은 위턱뼈에서 일어나 위안쪽으로 달려 반대쪽 코근의 가로부분과 함께 콧등의 널힘줄로 합쳐지고 일부 섬유는 눈살근(procerus m.)의 섬유와 이어진다. 콧방울부분은 가로부분이 이는곳 아래쪽, 가쪽앞니(laterl incisor)와 송곳니(canine) 바로 위쪽의 위턱뼈에서 일어나 큰콧방울연골(major alar cartilage, lower lateral cartilage)의 가쪽다리(lateral crus) 표면의 피부로 닿는다. 코근의 가로부분이 수축하면 콧구멍을 눌러서 좁히므로 콧구멍압축근(compressor naris)이라고도 불리고 콧방울부분은 콧구멍을 벌려서 넓히므로 콧구멍확장근(dilator naris)이라고도 불린다.

3) 코중격내림근(depressor septi nasi m.)

코중격내림근은 앞니 바로 위쪽의 위턱뼈와 앞코가시(anterior nasal spine)에서 일어나 코기둥(columella)을 지나 큰콧방울연골(major alar cartilage, lower lateral cartilage)의 안쪽다리(medial crus)로 닿으며, 코끝을 아래로 당겨서 콧구멍을 넓히는 것을 돕는다.

4) 윗입술콧방울올림근(levator labii superioris alaeque nasi m.)

윗입술콧방울올림근은 위턱뼈 이마돌기(frontal process of maxilla)에서 일어나 아래가쪽으로 달리며 두 갈래로 나뉘어 안쪽섬유는 콧방울로, 가쪽섬유는 윗입술의 피부와 코입술주름 (nasolabial fold)으로 닿는다. 콧구멍을 넓히며 윗입술을 올리는 작용을 한다.

5) 윗입술올림근(levator labii superioris m.)

윗입술올림근의 이는곳은 눈둘레근에 덮여 있으며 눈확아래모서리(infraorbital margin)의 아래 1 cm 지점, 눈확아래구멍(infraorbital foramen)의 위쪽에서 일어나 아래로 달려 윗입술의 피부로 닿고 일부 섬유는 콧방울로 닿는다. 윗입술콧방울올림근과 작은광대근(zygomaticus minor m.)의 사이에 끼어 있으며 이 근육들보다 깊게 위치한다.

6) 작은광대근(zygomaticus minor m.)

작은광대근은 광대뼈에서 눈둘레근의 섬유와 섞이면서 일어나서 아래안쪽으로 달려 윗입술의 피부로 닿고 일부 섬유는 콧방울로 닿는다. 작은광대근의 주행 방향은 비스듬히 달리거나 거의 수평하게 달리다가 급격히 아래로 꺾이는 등 다양하다.

윗입술콧방울올림근, 윗입술올림근, 작은광대근 각각의 이는곳은 넓게 벌어져 있지만 아래로 달리면서 서로 모여서 입둘레근(orbicularis oris m.)의 표면에서 윗입술의 피부로 닿아 함께 윗입술을 올리는 작용을 한다. 또한 세 근육 모두 콧방울로 닿는 근육섬유가 존재하기도 한다.

7) 입꼬리올림근(levator anguli oris m.)

입꼬리올림근은 깊숙히 위치한 근육으로 이는곳은 윗입술올림근에 덮여 있으며 눈확아래구멍 (infraorbital foramen)의 아래쪽 송곳니오목(canine fossa)에서 일어나 다른 근육들과 섞이며 입꼬리의 볼굴대(modiolus)로 닿는다.

8) 큰광대근(zygomaticus major m.)

큰광대근의 이는곳은 눈둘레근에 덮여 있으며 광대위턱봉합(zygomaticomaxillary suture) 근처에서 일어나 아래안쪽으로 달려 입꼬리의 볼굴대로 닿는다. 두 세개의 갈래로 나뉘기도 하며 일부는 피부로 닿아서 보조개를 만들기도 한다. 큰광대근의 얕은 갈래와 깊은 갈래 사이로 입꼬리올림근이 내려간다.

9) 입둘레근(orbicularis oris m.)

입둘레근은 입술틈새(oral fissure)를 둥글게 돌아가며 둘러싸는 조임근이라기보다는 윗부분과 아랫부분이 각각 입꼬리의 볼굴대로 닿으며 각각 홍순경계(vermillion border) 바깥쪽의 주변부분(peripheral part)과 안쪽의 가장자리부분(marginal part)으로 나뉜다. 입둘레근이 수축하면 입술을 앞으로 내미는 작용을 하며 나이가 들면 입 둘레로 방사상의 주름(smoker's line)을 만든다.

10) 볼근(buccinator m.)

볼근은 입안뜰(oral vestibule)의 가쪽벽을 이루며 큰어금니와 인접한 위턱뼈와 아래턱뼈의 이틀돌기(alveolar process), 그리고 날개아래턱솔기(pterygomandibular raphe)에서 일어나 입둘레근의 섬유들과 섞이면서 입꼬리의 볼굴대로 닿는다. 볼근의 윗부분과 아랫부분은 그대로 앞으로 주행하는 반면, 볼근의 가운데부분은 위쪽과 아래쪽 섬유가 서로 교차하며 귀밑샘관이 볼근을 뚫고 들어간다. 볼근은 음식을 씹을 때 뺨을 치아쪽으로 눌러서 뺨과 치아 사이에 음식물이 고이지 않게 하고, 바람을 세게 부는 데 작용한다.

11) 입꼬리당김근(risorius m.)

입꼬리당김근은 얕게 위치한 근육으로 기본적으로 뺨을 가로질러 수평으로 달리며 볼굴대로 닿지만, 단지 몇 가닥의 근육 섬유로부터 부채꼴까지 다양한 형태를 보이며, 큰광대근처럼 아래안쪽으로 달리거나 입꼬리내림근(depressor anguli oris)처럼 위안쪽으로 달리는 등 그 주행 방향도 매우 다양하다. 입꼬리당김근의 이는곳은 깨물근(masseter m.)의 앞부분을 덮고 있는 경우가 많다. 이 근육은 미소지을 때 입꼬리를 가쪽으로 당기는 작용을 한다.

3. 아래얼굴의 근육 Muscles of lower face

1) 입꼬리내림근(depressor anguli oris m.)

입꼬리내림근은 얕게 위치한 근육으로 아래턱뼈의 턱끝결절(mental tubercle) 가쪽으로부터 빗선(oblique line)의 앞부분에 걸쳐 넓게 일어나며 위로 올라가면서 좁아져서 입둘레근, 입꼬리당김근, 큰광대근의 섬유와 섞이면서 볼굴대로 닿는다. 이 근육 이는곳의 앞쪽 섬유는 턱끝결절의 밑으로 달려 반대편 입꼬리내림근의 섬유와 만나 턱끝가로근(transversus menti)을 형성한다. 입꼬리내림근은 대략 삼각형의 형태를 띠며 앞쪽 모서리와 뒤쪽 모서리는 앞쪽을 향해 오목한 곡선을 그리고, 볼굴대를 지나는 수직선으로부터 각각 앞으로 30도, 뒤로 45도보다 앞, 뒤에 위치한다. 이 근육은 슬픈 표정을 지을 때 입꼬리를 아래로 내리는 작용을 한다.

2) 아랫입술내림근(depressor labii inferioris m.)

아랫입술내림근은 입꼬리내림근보다 깊게 위치하며 위안쪽으로 달려 아랫입술의 피부와 점막으로 닿는다.

3) 넓은목근(platysma m.)

넓은목근은 넓고 얇은 판상형의 근육으로 큰가슴근(pectoralis major m.)과 어깨세모근(deltoideus m.)의 윗부분을 덮는 근막에서 일어나 빗장뼈를 가로질러 위안쪽으로 달리며 양쪽 넓은목근 안쪽모서리의 섬유는 턱끝 아래의 정중선에서 서로 교차하기도 한다. 넓은목근은 아래턱뼈 아래모서리의 일부에 부착한 뒤 입꼬리내림근과 입꼬리당김근보다 깊게 달리면서 위쪽으로 계속 진행하여 광대활 높이까지 올라가기도 한다. 넓은목근이 수축하면 목의 피부 표면에 이 근육의 근육 다발이 두드러지게 나타나며 입꼬리를 아래로 당겨 슬픈 표정을 짓는 데 작용한다. 노화에 의해 피부의 탄력이 저하되면 넓은목근의 안쪽모서리가 두드러져 칠면조의 목을 닮은 주름(gobbler neck deformity)을 형성한다.

4) 턱끝근(mentalis m.)

아래턱뼈의 앞니오목(incisive fossa)에서 일어나 아래로 달려 턱끝의 피부로 닿는 원뿔모양의 근육이다. 턱끝근이 수축하면 턱끝의 피부를 끌어올려 아랫입술을 내밀게 되며 근육섬유가 닿는 턱끝의 피부에 복숭아 씨 모양으로 여러 개의 움푹 들어간 자국을 만든다.

4. 씹기근육 Muscles of mastication

씹기근육은 첫째인두굽이(1st pharyngeal arch)에서 기원하며 머리뼈에서 일어나 아래턱뼈로 닿아서 음식을 씹는 데 작용한다. 삼차신경 아래턱가지(mandibular branch of trigeminal nerve)의 신경지배를 받으며 뼈막(periosteum)과 연속된 깊은근막(deep fascia)으로 덮여 있다. 씹기근육 중 가쪽날개근(lateral pterygoid m.)과 안쪽날개근(medial pterygoid m.)은 아래턱뼈 가지의 안쪽에 위치하여 얼굴의 표면에 드러나지 않으므로 설명을 생략한다(Figure 1-8).

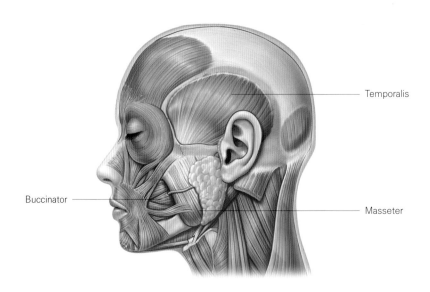

Figure 1-8. Muscles of mastication

1) 관자근(temporalis m.)

관자근은 관자우묵(temporal fossa)에 위치하며 아래관자선(inferior temporal line) 아래의 머리뼈 표면과 관자근을 덮고 있는 깊은관자근막(temporalis muscle fascia, deep temporal fascia)에서 넓게 일어나 아래로 내려올수록 좁아지면서 힘줄이 되어 광대활의 안쪽을 가로질러 아래턱뼈 근육돌기(coronoid process)의 안쪽면으로 닿는다. 관자근은 아래턱뼈의 강력한 올림근이고, 근육섬유는 부채꼴처럼 배열되어 있으므로 뒤쪽 섬유는 거의 수평하게 달려서 아래턱뼈를 뒤로 당기는 작용을 한다. 광대활(zygomatic arch) 근처에서 관자근과 깊은 관자근막 사이에는 볼지방덩이(buccal fat pad)가 위쪽으로 연장된 깊은관자지방덩이(deep temporal fat pad, temporal lobe of buccal fat pad)가 놓여 있다.

2) 깨물근(masseter m.)

깨물근은 광대뼈와 광대활에서 일어나 아래턱뼈 가지의 가쪽면으로 넓게 닿는다. 깨물근은 세 층으로 이루어져 있으며, 얕은 층은 가장 크고 광대뼈의 위턱돌기(maxillary process of zygomatic bone)와 광대활 앞 2/3 아래모서리에서 일어나 뒤아래쪽으로 턱뼈각을 향해 비스듬하게 달려서 턱뼈가지 아랫부분으로 닿는다. 중간층은 광대활 앞 2/3 안쪽모서리와 뒤 1/3 아래모서리에서 일어나 아래방향으로 달리며 턱뼈가지의 중간면으로 닿는다. 깊은층은 광대활 깊은면에서 일어나 턱뼈가지의 윗부분에 부착한다. 깨물근은 아래턱뼈의 강한 올림근이다.

정원석

얼굴에는 바깥목동맥(external carotid a.)에서 분지한 얼굴동맥(facial a.), 얕은관자동맥
(superficial temporal a.)과 속목동맥(internal carotid a.)에서 분지한 눈동맥(ophthalmic a.)
의 가지들, 즉 눈확위동맥(supraorbital artery), 도르래위동맥(supratrochlear a.), 콧등동맥
(dorsal nasal a.)이 분포한다(Figure 1-9).

얼굴동맥은 바깥목동맥에서 분지한 후, 아래턱뼈(mandible)의 내측으로 주행하다가 깨물근
(masseter m.) 앞모서리에서 아래턱뼈를 감고 표면으로 나와 안쪽눈구석(medial canthus)을
향해 얼굴의 위안쪽으로 구불구불하게 달리며, 아랫입술동맥(inferior labial a.), 윗입술동맥
(superior labial a.), 아래콧방울동맥(inferior alar a.), 가쪽코동맥(lateral nasal a.), 눈구석
동맥(angular a.)의 가지를 순서대로 낸다. 얼굴동맥 가지들의 분지 양상은 인구집단에 따라
다르다. 한국인에서 얼굴동맥이 전술한 모든 가지를 분지하는 경우는 36%에 불과하며, 가쪽

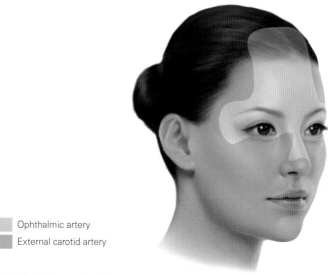

Ophthalmic artery
External carotid artery

Figure 1-9. Arterial supply of face

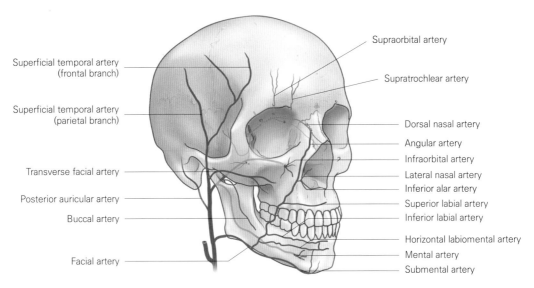

Superficial temporal artery
(frontal branch)

Superficial temporal artery
(parietal branch)

Transverse facial artery

Posterior auricular artery

Buccal artery

Facial artery

Supraorbital artery

Supratrochlear artery

Dorsal nasal artery

Angular artery

Infraorbital artery

Lateral nasal artery

Inferior alar artery

Superior labial artery

Inferior labial artery

Horizontal labiomental artery

Mental artery

Submental artery

Figure 1-10. Arterial branches of face

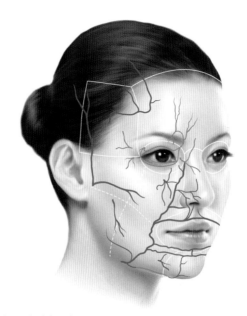

Figure 1-11. Arteries supplying facial regions

코동맥까지만 분지하고 끝나는 경우가 44%이다. 얼굴동맥의 분지양상은 대략 절반에서만 대칭적이다(Figure 1-10).

얼굴동맥이 통상적인 주행경로인 얼굴의 위안쪽으로 비스듬하게 달리지 않고 입꼬리 근처에서 수직으로 올라가다가 눈둘레근의 아래모서리를 따라 주행하는 양상이 30%에서 관찰된다. 얼굴동맥은 입꼬리 근처, 큰광대근과 입꼬리당김근 사이에서 근육으로 덮여 있지 않고 얕게 위치하고 있으며 흔히 또아리를 형성하고 있다. 얼굴동맥은 40%에서 코입술주름(nasolabial fold)으로부터 5 mm 이내로 주행하며, 1/3에서 코입술주름을 가로지른다.

미간과 콧등에는 눈확위동맥과 도르래위동맥, 콧등동맥과 같은 눈동맥의 가지들이 분포하며 이들은 얼굴동맥의 가지들과 연결된다.

얕은관자동맥은 마루가지(parietal br.)와 이마가지(frontal br.)로 갈라져 관자부위와 이마의 가쪽에 분포하며 이마가지는 눈동맥의 가지들과 연결된다. 얕은관자동맥의 가지로 가로얼굴동맥(transverse facial a.)과 광대눈확동맥(zygomaticoorbital a.)이 있다.

이 외에도 바깥목동맥의 가지인 위턱동맥(maxillary a.)의 가지들이 머리뼈에서 빠져나와서 눈확아래동맥(infraorbital a.), 볼동맥(buccal a.), 턱끝동맥(mental a.)이 되어 해당 부위의 얼굴에 분포한다(Figure 1-11).

1. 입주위의 동맥

얼굴동맥은 입꼬리(cheilion)와 아래턱뼈 아래모서리 사이에서 수평입술턱끝동맥(horizontal labiomental a.)을 분지한다. 수평입술턱끝동맥은 입술턱끝주름(labiomental crease)을 따라 수평으로 주행하며, 아랫입술동맥 또는 턱끝밑동맥과 연결하는 수직입술턱끝동맥(vertical labiomental a.)을 낸다.

아랫입술동맥(inferior labial a.)은 대략 입꼬리 높이에서 얼굴동맥으로부터 분지하여 아랫입술의 홍순경계(vermillion border)를 따라 주행한다. 대략 절반 가량에서 수평입술턱끝동맥만 존재하고 아랫입술동맥이 존재하지 않는다.

아랫입술동맥은 입둘레근(orbicularis oris m.)보다 깊이 점막에 근접하여 달리며 입꼬리에서 안쪽으로 주행하면서 점점 그 깊이가 얕아지는 경향을 보인다.

윗입술동맥(superior labial a.)은 입꼬리로부터 위가쪽으로 대략 1cm 가량 떨어진 곳에서 얼굴동맥으로부터 분지하여 수평하게 달려 윗입술의 홍순경계(vermillion border)로부터 0.5~1.2 cm 떨어져서 주행한다. 윗입술동맥과 아랫입술동맥이 함께 공통가지로 분지하는 경우는 드물다.

윗입술동맥은 입둘레근(orbicularis oris m.)보다 깊이 점막에 근접하여 달리며 인중 부근에서 코중격동맥(nasal septal a.)을 낸다. 코중격동맥은 입둘레근보다 얕게 주행하는 가지와 깊게 주행하는 가지가 있고, 얕은코중격동맥이 코기둥으로 이어져서 코기둥동맥(columellar a.)이 된다.

약 10%에서 아래콧방울동맥과 가쪽코동맥이 윗입술동맥으로부터 분지한다.

2. 코주위의 동맥

아래콧방울동맥(inferior alar a.)은 콧방울의 아래쪽으로 달리고 가쪽코동맥(lateral nasal a.)은 콧방울주름(alar crease)을 따라 코끝을 향해 달린다.

눈동맥의 가지인 콧등동맥(dorsal nasal a.)이 코뿌리에 분포하며, 앞벌집동맥(anterior ethmoidal a.)의 바깥코가지(external nasal br.)가 비공점(rhinion)에서 빠져나온다.

콧등동맥은 코의 섬유근육층(fibromuscular layer)과 깊은지방층(deep fatty layer) 사이로 달린다.

콧등동맥이나 가쪽코동맥이 정중선을 가로질러 반대편의 코끝(nasal tip)까지 분포하는 경우가 약 20%에서 관찰된다.

3. 눈주위의 동맥

눈구석동맥(angular a.)은 절반 가량에서 얼굴동맥의 마지막 가지이며, 약 25%에서는 눈동맥에서 분지하고 약 25%에서 존재하지 않는다. 30% 가량에서는 얼굴동맥이 입꼬리에서 수직으로 올라가다가 눈둘레근의 아래모서리를 따라 안쪽눈구석을 향하므로 눈구석동맥의 주행 경로에 차이가 있다.

눈꺼풀에는 도르래위동맥에서 나온 안쪽눈꺼풀동맥(medial palpebral a.)과 눈물샘동맥(lacrimal a.)에서 나온 가쪽눈꺼풀동맥(lateral palpebral a.)이 분포한다. 아래안쪽눈꺼풀동맥은 눈둘레근의 눈꺼풀부분보다 깊게 주행한다.

4. 미간과 이마의 동맥

미간과 이마의 중앙에는 눈동맥의 가지인 도르래위동맥(supratrochlear a.)이 분포한다. 도르래위동맥은 눈확(orbit)을 빠져나온 뒤 안쪽눈구석(medial canthus)을 지나는 시상면에서 곧바로 눈둘레근을 뚫고 근육의 표면으로 주행한다. 도르래위동맥은 약 절반가량에서 미간세로주름의 바로 밑으로 주행한다.

눈확위동맥(supraorbital a.)은 눈확위패임 또는 구멍(supraorbital notch/foramen)을 통해 빠져나온 뒤 눈둘레근과 이마근 깊이 주행하다가 안쪽눈구석으로부터 가쪽으로 3 cm, 위눈확모서리에서 위쪽으로 2 cm되는 지점에서 이마근을 뚫고 나와 안쪽으로는 도르래위동맥, 가쪽으로는 얕은관자동맥의 이마가지와 연결된다.

5. 관자부위의 동맥

얕은관자동맥(superficial temporal a.)은 귀밑샘을 통과한 뒤 귀구슬(tragus) 앞 18 mm, 위로 37 mm 위치에서 마루가지와 이마가지로 나뉜다. 이마가지는 얕은관자근막(superficial temporal fascia)에 싸여 위앞쪽으로 달려 이마근을 만난 뒤 눈확위동맥의 가지들과 연결되며 이마근의 표면에서 위쪽으로 주행한다.

얕은관자동맥으로부터 관자눈확동맥(zygomaticoorbital a.)이 분지하여 가쪽눈구석(lateral canthus)을 향해 달린다.

눈동맥의 가지인 눈물샘동맥으로부터 분지한 광대관자동맥(zygomaticotemporal a.)이 관자부위의앞쪽에 분포한다.

중간관자동맥(middle temporal a.)과 깊은관자동맥(deep temporal a.)은 관자근(temporalis m.)에 분포한다.

6. 뺨의 동맥

귀밑샘 속에서 얕은관자동맥으로부터 분지한 가로얼굴동맥(transverse facial a.)이 광대활(zygomatic arch) 아래모서리로부터 1.5 cm 가량 떨어져서 주행하며 뺨의 뒤위쪽에 분포한다.

위턱동맥(maxillary a.)에서 분지한 볼동맥(buccal a.)과 눈동맥의 가지인 눈물샘동맥으로부터 분지한 광대얼굴동맥(zygomaticofacial a.)이 뺨의 아래앞쪽에 분포한다.

7. 얼굴의 정맥

얼굴에 분포하는 정맥은 얼굴에 분포하는 동맥과 비슷하지만 아래눈정맥(inferior ophthalmic v.)이나 아래턱뒤정맥(retromandibular v.)같은 예외도 있다. 얼굴정맥(facial v.)은 구불구불하게 달리는 얼굴동맥과 달리 곧게 달리며 얼굴동맥에서 1.5 cm 가량 뒤쪽에 위치한다. 얼굴정맥은 아래쪽으로 달려 속목정맥(internal jugular v.)으로 합류하지만, 정맥혈은 역류하여 위/아래눈정맥을 통해 해면정맥굴(cavernous sinus)로 들어갈 수 있다.

코뿌리에서 양쪽 눈구석정맥(angular v.)을 연결하는 정맥(intercanthal v.)이 약 70%에서 존재한다.

관자부위에서 깊은관자근막(deep temporal fascia)의 얕은층과 깊은층 사이로 광대활 위에서 2 cm 가량 떨어져서 중간관자정맥(middle temporal v.)이 주행한다. 이 정맥은 얕은관자정맥(superficial temporal v.)으로 환류되며, 눈확둘레정맥과 위눈정맥을 통해 해면정맥굴과 연결된다(Figure 1-12).

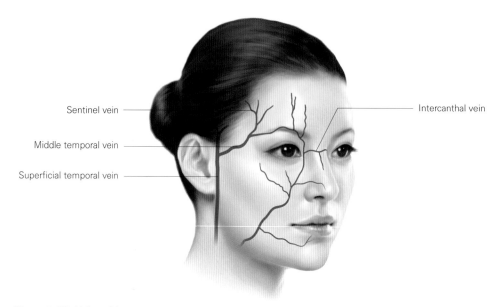

Figure 1-12. Veins of face

정원석

목과 얼굴의 감각신경으로는 삼차신경(trigeminal n.)의 가지와 목신경얼기(cervical plexus)
의 가지가 분포하며, 얼굴표정근육에는 얼굴신경(facial n.)의 가지가, 씹기근육(masticatory
m.)에는 아래턱신경(mandibular n.)이 분포한다.

삼차신경의 가지는 대체로 머리뼈의 구멍들을 통해 빠져나와 얼굴의 피부에 분포하며, 목신
경얼기의 가지는 뺨의 뒤쪽과 아래쪽, 귀의 일부와 목의 앞부분의 피부에 분포한다(Figure
1-13). 얼굴신경은 귀밑샘(parotid gland) 속에서 5개의 가지로 분지한 뒤 귀밑샘의 모서리를
빠져나와 SMAS에 덮여 주행하며 대체로 얼굴표정근육의 깊은 곳으로 분포한다.

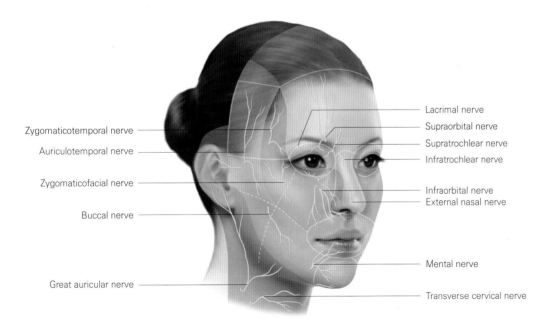

Zygomaticotemporal nerve

Auriculotemporal nerve

Zygomaticofacial nerve

Buccal nerve

Great auricular nerve

Lacrimal nerve
Supraorbital nerve
Supratrochlear nerve
Infratrochlear nerve

Infraorbital nerve
External nasal nerve

Mental nerve

Transverse cervical nerve

Figure 1-13. Sensory innervation of face

1. 눈신경 Ophthalmic n.; CN V₁

삼차신경의 위 갈래로 위눈확틈새(superior orbital fissure)를 통해 눈확으로 들어온 뒤 이마신경(frontal n.), 코섬모체신경(nasociliary n.), 눈물샘신경(lacrimal n.)으로 분지하고, 이마신경에서 눈확위패임을 통해 나오는 눈확위신경(supraorbital n.)과 도르래위신경(supratrochlear n.)이, 코섬모체신경에서 도르래아래신경(infratrochlear n.)과 바깥코신경(external nasal n.)이 분지하여 각각 이마, 두피, 미간, 눈꺼풀과 코에 분포한다.

2. 위턱신경 Maxillary n.; CN V₂

삼차신경의 중간 갈래로 광대신경(zygomatic n.)을 분지한 뒤 눈확아래구멍(infraorbital foramen)을 빠져나오는 눈확아래신경(infraorbital n.)이 되어 끝난다. 눈확아래신경은 아래눈꺼풀, 코의 가쪽면, 윗입술에 넓게 분포한다. 광대신경은 같은 이름을 가진 구멍을 통해 빠져나오는 광대얼굴신경(zygomaticofacial n.)과 광대관자신경(zygomaticotemporal n.)을 분지한다.

3. 아래턱신경 Mandibular n.; CN V₃

삼차신경의 아래 갈래로 씹기근육에 분포하는 운동가지와 얼굴 피부와 머리의 여러 부위에 분포하는 감각가지를 낸다. 귓바퀴관자신경(auriculotemporal n.)은 귀밑샘을 지나 귀의 위 앞쪽으로 주행하며 귓바퀴 앞쪽과 관자부위에 분포한다. 볼신경(buccal n.)은 볼근을 뚫고 뺨의 피부 일부에 분포한다. 턱끝신경(mental n.)은 턱끝구멍을 빠져나온 뒤 아랫입술과 턱의 피부에 분포한다.

4. 목신경얼기 Cervical plexus

목신경얼기의 피부가지는 목빗근(sternocleidomamstoid m.) 뒤모서리의 중간부분을 감고 나오며, 큰귓바퀴신경(great auricular n.)은 꼭지돌기(mastoid process), 귀밑샘부위, 아래턱뼈의 턱뼈각과 아래모서리의 피부에 분포하고 가로목신경(transverse cervical n.)은 앞목삼각의 피부에 분포한다.

5. 얼굴신경 Facial n. (Figure 1-14)

얼굴신경의 관자가지(temporal branch)는 여러 개의 가지로 구성되어 있으며, 귀밑샘을 빠져나온 뒤 광대활을 가로질러 위앞쪽으로 달리면서 이마근(frontalis m.), 눈썹주름근(corrugator supercilii m.), 눈둘레근(orbicularis oculi m.) 윗부분에 분포한다.

광대가지(zygomatic branch)는 눈둘레근의 아랫부분과 큰광대근과 작은광대근에 분포한다.

볼가지(buccal branch)는 귀밑샘관과 함께 달리며 윗입술을 올리는 근육에 주로 분포한다.

광대가지와 볼가지는 서로 얽히며 코의 가쪽을 타고 올라가 코근(nasalis m.), 눈살근(procerus m.), 눈썹주름근(corrugator supercilii m.)에 분포하는 가지를 낸다.

턱모서리가지(marginal mandibular branch)는 입둘레근(orbicularis oris m.) 아랫부분, 입꼬리내림근(depressor anguli oris m.), 아랫입술내림근(depressor labii inferioris m.), 턱끝근(mentalis m.) 등에 분포한다.

목가지(cervical branch)는 넓은목근(platysma m.)에 분포한다.

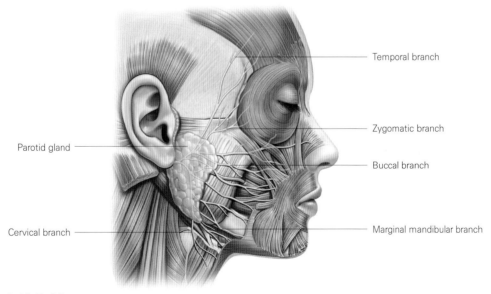

Figure 1-14. Facial nerve

chapter 02

이마

홍기웅

1. 시술 전 고려 사항

이마는 헤어라인에 있는 trichion부터 눈썹까지의 위아래 길이와 temple(관자놀이)과의 경계 부위인 양쪽 temporal crest의 superior temporal septum (STS) 사이의 좌우 폭으로 경계가 지어지는데 기본적으로 서양인은 앞뒤가 길고 폭이 좁은 머리뼈를 가지나 동양인은 이에 비해 폭이 넓고 앞뒤가 짧은 머리뼈의 형태로 머리뼈의 가로 폭이 넓은 것에 비해 실질적인 이마만의 가로 폭은 좁은 경우가 많으며 눈의 좌우 길이가 짧아 미간의 폭이 서양인에 비해 넓어 보이는 경향이 있다. 옆에서 봤을 때 이마가 적당히 도톰하게 울퉁불퉁하지 않아야 적당한 상안면부의 S라인이 만들어지고 부드러운 인상을 주게 되며 정면에서 봤을 때 파이거나 울퉁불퉁한 부분이 있을 경우 실제 길이보다 더 짧아 보여 답답한 인상을 줄 수 있으므로 개선을 요한다. 적당히 입체적이고 볼록한 이마는 얼굴을 좁아 보이게 하는 효과도 있으므로 이마와 미간을 살려주는 시술은 작은 얼굴을 선호하는 동양인에게 적합한 시술이라 할 수 있는데 가장 튀어나온 부위인 눈썹이 위치하는 supraorbital ridge보다 이마나 미간이 더 불룩하게 튀어나오게 할 경우 눈썹과 눈 부위가 꺼져 보이고 코도 오히려 낮아 보일 수 있으므로 주의를 요한다.

이마가 꺼진 경우 아래쪽 2/3 부분이 주로 꺼지게 되는데 이마 중앙에 있는 두 곳의 frontal eminence와 눈썹이 있는 이마 뼈의 가장 튀어나온 부위인 supraorbital ridge 사이가 보통 꺼지게 되며 이 중 어디가 꺼져 있는지에 따라 미간 위쪽 가운데 부분이 주로 꺼져 있는 central type, 가운데 부분은 심하지 않고 좌우 눈썹 위쪽이 삼각형 모양으로 많이 꺼져 있는 bilateral type, 중앙 부위와 좌우가 같이 꺼져 있는 mixed type으로 나눌 수 있다. 위쪽 1/3이 꺼진 경우 보통은 실제 꺼졌다기보다 이마뼈의 윗부분이 각도상 뒤로 누워 있어 꺼진 것처럼 보이는 경우가 많으며 아래쪽 2/3가 꺼진 것과 동반되어 이마 전체가 꺼져 보이는 total type도 볼 수 있다.

미간 부위가 꺼진 경우 이마의 골격 꺼짐과 마찬가지로 선천적으로 미간 부위 골격이 꺼진 경우도 있고 미간 부위 연부조직층이 꺼져 보이는 경우도 있는데 보통 함몰만이 있는 경우는 드물며 미간 부위의 glabellar frowning에 의한 얕거나 깊은 세로의 주름과 procerus muscle(비근근)의 수축에 의한 가로로 생기는 주름이 같이 동반되는 경우가 많고 보통 세로로 생기는 경우 좌우 대칭으로 생기기도 하고 여러 개의 세로 주름 중 어느 한 개가 또렷하게 비대칭으로 생기기도 한다(Figure 2-1).

진피의 위축에 의한 얕은 주름과 심하지 않은 꺼짐이 있을 경우 toxin과 필러를 이용하여 쉽게 교정이 가능한 경우도 있으나 오랜 기간의 근육의 수축으로 인해 피하지방층까지 꺼지면서 함몰이 생기고 주름도 흉터같이 깊게 파여 있는 경우 평평하게 복구가 되지 않으므로 항상 시술 전 어느 정도의 효과가 있을지를 정확하게 파악한 후 시술하는 것이 중요하며 미간이 꺼진 경우 이마가 같이 꺼진 경우가 많으므로 미간과 이마의 함몰은 같이 교정해야 효과가 극대화 됨을 환자에게 설명한 후 같이 시술하는 게 좋다.

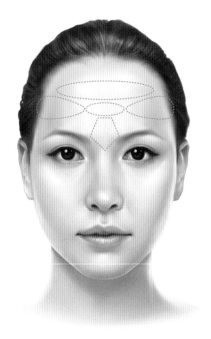

Forehead depression
   lower 2/3 part of forehead : main depression
   upper 1/3 part of forehead : minor depression
   1) bilateral type
   2) central type
   3) mixed type
   4) total type
Glabella depression
   1) bone type
   2) fat type
   3) crease type
   4) mixed type

Figure 2-1. Type of forehead and glabella depression

2. 해부학적 고려 사항

이마와 미간 부위에 필러 시술 시 바람직한 시술 층을 찾기 위해 피부 밑층과 해부학적으로 중요한 구조물을 살펴보면 먼저 피부 밑에 피하 지방층이 존재하는데 가운데에 위치하는 central forehead compartment와 양 옆에 두 개의 midline forehead compartment가 존재한다. 좌우의 compartment는 superior temporal septum (STS)을 경계로 관자놀이쪽의 lateral temporal cheek fat compartment와 접하는데 이 layer에는 굵직한 정맥과 일부 superficial하게 주행하는 동맥 혈관이 존재하여 시술 시 손상을 입어 출혈이 크게 일어날 수 있으며 볼륨감을 많이 살리기 위하여 hard consistency의 필러 주입 시 울퉁불퉁해 보일 수 있고 compartment사이 septum에 걸려서 필러가 잘 펴지도록 molding하는 것이 힘들 수도 있으므로 바람직한 시술 층이라 할 수 없다(Figure 2-2).

피하지방층 밑에 존재하는 이마와 미간 부위의 근육을 살펴보면 frontalis muscle(전두근)은 눈썹에 붙어서 눈썹을 내리는 procerus(비근근), corrugator&depressor supercilli(추미근),

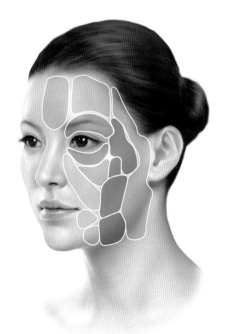

Facial fat pads rersorb over time
Order of resorption (1~5)

1 = Superior and inferior orbital fat pad
2 = Medial cheek fat compartments
3 = Lateral orbital fat and lateral cheek
      fat compartments
4 = Nasolabial and jowl fat compartments
5 = Central and midline forehead compartment
Lateral temporal-cheek fat compartments

Figure 2-2. Resorption order of the facial superficial fat compartments

orbicularis oculi muscle(안륜근) 등과 반대로 눈썹을 올리는 작용을 하게 되며 이마 위쪽으로는 galea aponeurotica로 연장되어 뒤쪽 occipital muscle과 연결되고 옆쪽으로는 STS을 지나 관자놀이의 superficial temporal fascia (STF)로 연장되는 근육으로 근육 밑에는 근육하 지방층이 일부 바깥쪽에 보이나 내측으로 갈수록 근육과 골막 사이에 지방은 거의 볼 수 없다(Figure 2-3). 전두근은 보통 superior orbital rim으로부터 약 3.5 cm 위에서 갈라지나 일부에서는 더 위에서 갈라지기도 하고 혹자는 갈라짐이 없이 연속적으로 이어진다고 주장하며 육안으로는 없어 보이는 부위에도 조직학적으로 근육이 확인되므로 이마주름을 위하여 toxin 시술 시 육안으로 근육이 없어 보이는 upper medial portion도 시술이 필요하다는 주장도 있다.

미간 부위 주름과 함몰을 만드는 미간 부위의 근육을 살펴보면 먼저 추미근은 눈썹을 내리는 여러 근육 중 가장 깊이 위치하는 근육으로 미간에 vertical line을 만들며 transverse와 oblique head로 나뉘게 되는데 임상적으로 큰 의미는 없으며 보통 nasion에서 1 cm 정도 위쪽, midline에서 3 mm 정도 외측의 bone에서 시작하여 오른쪽 근육은 우상방, 왼쪽 근육은 좌상방으로 진행하며 점점 피부쪽으로 가깝게 진행하여 눈썹부위의 피부에 부착하게 되는데 인상을 찡그렸을 때 피부가 겹쳐지는 부위보다 약간 바깥쪽이 추미근이 피부에 부착하는 부

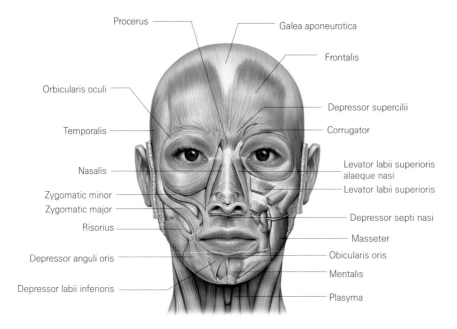

Figure 2-3. Muscles of the face

위라고 보면 되며 근육의 두께가 가장 두꺼운 부위는 medial canthus와 midpupillary line사이 정도로 보통 2~3 mm 정도의 굵기를 볼 수 있다.

비근근은 medial canthus 사이 혹은 nasion 부위의 nasal SMAS에서 origin하여 위쪽으로 갈수록 superficial하게 주행하여 superior orbital rim level에 있는 눈썹 사이의 피부에 부착하는데 미간을 찡그릴 때 같이 수축하여 눈썹과 눈 사이 콧잔등에 가로로 생기는 주름을 만들게 된다.

이마와 미간 부위의 혈관과 신경 주행을 살펴보면 먼저 이마의 바깥쪽에서는 superficial temporal art. & vein (STA & V)의 frontal branch (ant. branch)가 eyebrow tail의 upper margin 약 1.5~2 cm 위에서 frontal muscle belly의 lateral border로 들어오게 되는데 STA의 main branch는 보통 sup. orbital rim의 수평선 부근에서 ant.와 post. branch로 갈라지게 되며 그 후 ant. branch는 약 60도 정도의 각도로 상내측으로 주행하게 된다. Ant. Branch는 이마의 바깥 경계에 있는 전두근의 lat. margin까지는 STF 아래에 포함되어 있다가 lateral canthus에서 그은 수직선이 지나는 위치를 지나면서 subcutaneous layer로 얇게 올라가는 branch를 내게 되므로 여기서부터는 얇게 시술 시 혈관의 손상을 주지 않도록 주의

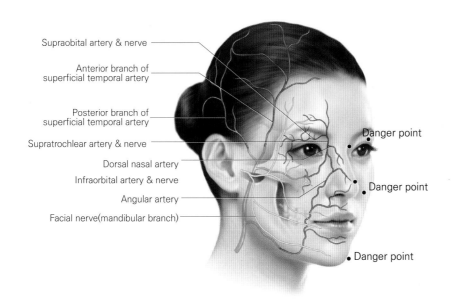

Figure 2-4. The blood supply of lateral forehead area

를 요하며 facial nerve의 frontal branch도 역시 temple 쪽을 지나 lateral eyebrow end의 약 1~1.5 cm 위쪽에서 이마로 가는 분지를 내어 이마 근육의 움직임을 담당하게 된다(Figure 2-4).

내측에서는 medial canthus에서 그은 수직선상에 위치하는 medial orbit의 supratrochlear notch 혹은 foramen에서 나온 supratrochlear artery & nerve가 골막을 따라서 medial orbit 를 나와 superf. & deep branch로 나뉘어지는데 보통 deep branch는 그대로 골막을 따라 깊 게 주행하고 superf. Branch는 corrugator muscle 아래 깊이 존재하다가 superior orbital rim을 지나며 점차 근육 위로 올라가게 되는데 보통 superior orbital rim의 상방 1.5 cm 정도 위치에서는 전두근을 관통하여 subcutaneous layer로 분지를 내어 주행하게 되며 이 superf. branch가 더 두꺼운 main branch이므로 주의를 요한다.

미간부위 주름을 기준으로 볼 때 추미근의 수축으로 미간의 lateral portion에 생기는 glabellar frown line 혹은 corrugator crease라고 부르는 주름선을 따라 superf. branch는 주행하게 되고 미간을 찡그릴 때 미간의 가운데 부분에 생기는 주름선을 central forehead crease라고 하는데 이 주름선 밑으로도 supratrochlear artery의 branch인 central forehead artery가 같이 주행할 수 있으므로 이런 주름선에 시술할 때는 특히 더 주의를 요한다.

Supraorbital art. & nerve 역시 medial limbus 정도에서 그은 수직선상에 위치하는 orbital rim의 supraorbital foramen에서 나오는데 보통 추미근의 transverse head와 oblique head 사이 지점에서 나오게 되며 bony orbit를 지나 추미근 깊이 존재하다 supraorbital ridge 를 지나면서 추미근을 뚫고 올라가 전두근 내로 들어가게 되고 점점 더 위로 올라가면서 supratrochlear art. & nerve와 마찬가지로 전두근을 뚫고 subcutaneous layer로 가는 분지 를 내게 된다(Figure 2-5).

Supratrochlear art. & nerve와 supraorbital art. & nerve가 전두근을 뚫고 subcutaneous layer로 주행하는 양상은 variation이 다양하게 존재하므로 주의를 요하며 미간 부위 표면의 경우 supratrochlear art.가 supraorbital a.보다 얕게 주행하여 어중간한 깊이로 피하 주사 시 subdermal plexus가 손상되어 국소적인 피부 괴사의 위험성이 높으므로 특히 주의를 요한다. Supraorbital nerve는 건드릴 경우 뒤통수 부위까지 전기가 통하듯이 찌릿한 느낌이 들고 이 런 느낌이 생각보다 오래 지속되므로 또한 주의를 요한다(Figure 2-6).

보통 이마의 꺼짐 시 가장 튀어나온 구조물인 supraorbital ridge 위의 depression 부위를 채

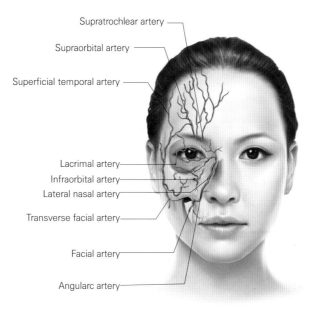

Figure 2-5. The blood supply of forehead and glabella

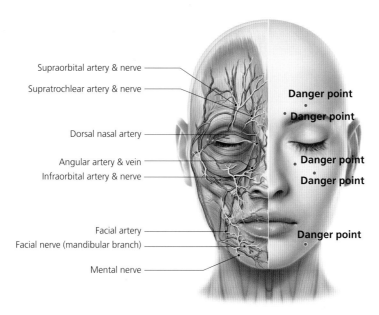

Figure 2-6. Practice Points: High Risk Areas

워주면 되는데 이 부위는 이미 혈관들이 bone에서 나와 얕게 올라가면서 근육 내 혹은 근육 위로 주행하게 된 부위이므로 근육 밑으로 주입 plane을 잡게 되면 혈관이나 신경의 손상 염려 없이 시술할 수 있다.

이미에 필러 시술 후 ocular swelling이 나타날 수 있는데 이유는 이마와 orbit 사이의 barrier 역할을 하는 sup. orbital rim의 2-3 mm 위에 위치하는 orbital retaining lig.(안와유지인대)의 약화에 의해 여길 통과하여 필러가 ocular area로 이동하거나 안륜근 밑의 ROOF fat pad가 많은 경우 이 space로 일부 들어가서 중력에 의해 orbital area로 퍼질 수 있기 때문이다. 그러므로 너무 이마 아래 쪽 supraorbital ridge에 붙여서 필러 시술을 하지 않는 것이 좋으며 이 부위의 경계선을 마무리할 때는 부드러운 필러로 진피하에 얕게 시술을 하는 것이 좋다.

3. 시술법

1) 이마

진입 포인트를 보면 bilateral type이나 중앙부의 꺼짐이 심하지 않은 mixed type의 경우 이마와 temple의 경계 부위 근처 눈썹의 upper margin에 니들로 puncture를 한 후 내측으로 카눌라를 삽입하여 근육을 뚫고 근육 밑으로 진입을 하게 되는데 근육 밑의 골막을 확인 후 카눌라를 부드럽게 진행하게 되면 섬유질로만 이루어진 근육하 공간을 통하여 쉽게 원하는

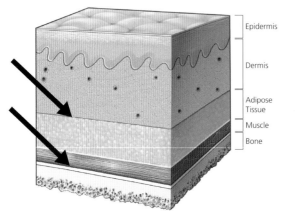

▷Submuscular injection for volume
　Perlane or subQ : 1-2 cc
　SubQ : 23 G cannula
　Perlane : 27 G cannula

▷Subdermal injection to improve the
　depressed wrinkle line and to compensate
　the deficient area to make even surface
　– Restylane lidocaine 0.5-1 cc
　　 : 30 G nano needle

Figure 2-7. Forehead : Injection plane, Products, Injection volume and accessories

시술 부위까지 진입할 수 있으며 이때 이마의 모양이 평면이 아니므로 꺾어진 부위를 지나며 카눌라의 방향이 위쪽 면으로 향하여 근육층을 뚫어 혈관이나 신경 손상이 일어나지 않도록 항상 카눌라의 위치가 골막에 붙은 채로 fan type으로 박리하듯이 진입을 해야 하며 목표 지점에 도달하면 다시 캐눌라를 빼면서 retrograde fanning technique으로 필러를 근육 밑으로 주입하면 된다(Figure 2-7).

Central type depression이 있거나 중앙부의 꺼짐이 심한 mixed type depression이 있는 경우 이마 중앙부의 진입 포인트가 필요할 수 있으며 미간과 이마 중앙부 꺼진 곳의 경계 부위에 midline puncture point를 잡는데 이때 supratrcochlear art.의 branch인 central forhead art.가 정중앙 부위를 지나는 경우가 있으므로 midline보다는 약간 옆쪽으로 진입 포인트를 잡아 이 혈관을 찔러서 bleeding이 생기는 것을 방지할 수 있으며 puncture 후에 카눌라를 진입시켜 근육층을 뚫고 근육 밑으로 주행하여 retrograde fanning, cross hatching, droplet 기법으로 시술하여 꺼진 부분을 살려주면 된다.

이마 위쪽 1/3까지 꺼져 있는 total type depression이 있는 경우 위에서 설명한 주입 포인트로 충분히 위쪽 볼륨을 살려주기 어려울 때는 수직으로 그은 midpupillary line 선상에 있는 헤어라인에 추가적인 진입 포인트를 잡아서 bilateral depression 때와 마찬가지로 시술하여 위쪽 depression까지 충분히 볼륨을 살려줄 수 있다(Figure 2-8).

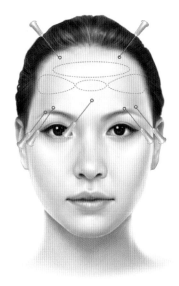

Injection entry point : forehead
- lower 2/3 part(main depression)
   1) upper margin of lateral eyebrow
   2) upper margin of eyebrow between lateral limbus and lateral canthus around border of forehead and temple
   3) inferior mid-point of central depression upper 1/3 part : anterior hairline point

Injection technique
- Retrograde horizontal fanning and crossing
- Droplet technique to smooth out the surface

Figure 2-8. Forehead : Injection points and techniques for cannula

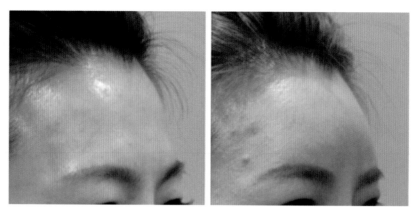

Figure 2-9. 이마 시술 전후

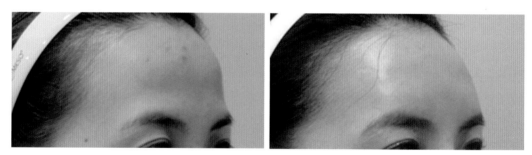

Figure 2-10. 이마 시술 전후

어느 정도 볼륨을 살려준 후 부드러운 필러를 이용하여 진피층을 포함한 진피하에 필러를 주사하여 볼륨 필러가 고르게 들어가지 않아 울퉁불퉁해 보이는 부위나 볼륨 필러가 들어간 부위와 아닌 부위의 표시가 나는 경계 부위를 매끈해 보이도록 마무리 해준다(Figure 2-9)(Figure 2-10).

이마 근육의 움직임에 의한 동적 주름이 많이 생길 경우 근육의 움직임에 의해 필러가 이동하거나 지속기간에 영향을 미칠 수 있으므로 이마 근육에 대한 toxin 시술을 같이 해주는 것이 좋으며 동적인 주름이 정적인 주름으로 변하여 표정을 짓지 않을 때도 금이 가보이는 경우 부드러운 필러를 이용하여 가로로 생겨 있는 주름에 수직이나 60도 정도의 각도로 fern leaf tech.이나 duck walk tech.을 이용하여 진피를 포함한 진피 내 주사로 금이가 파여 보이는 부분을 최대한 평평하게 보이도록 해주면 좋다.

2) 미간

미간 부위 함몰에 필러 시술 시 미간과 이마의 경계 부위인 함몰 부위의 위쪽 경계선 중앙 부위에 진입 포인트를 잡는데 위에서 설명했듯이 중앙으로 진행하는 혈관의 손상을 피하기 위해 정중앙의 약간 옆쪽으로 puncture를 한 후 카눌라를 진입시켜 미간 부위에 있는 근육층을 뚫고서 골막까지 닿은 후 근육 밑에 retrograde fanning, droplet, linear threading 기법으로 필러를 주입한다. 어느 정도 볼륨을 채운 후 울퉁불퉁한 표면이나 경계 부위는 부드러운 HA 필러를 진피층을 포함한 진피하에 주사하여 매끈하게 표면을 만들어 준다(Figure 2-11).

미간 부위 함몰은 보통 glabellar frown line이라는 추미근의 과도한 수축에 의해 생기는 주름

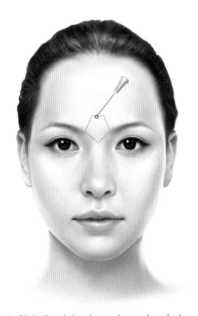

Injection entry point for glabella
• slightly lateral to superior mid-point of area requiring volume

Injection technique
• Retrograde fanning
• Droplet and linear threading to smooth out the surface

Figure 2-11. Glabella : Injection point and techniques

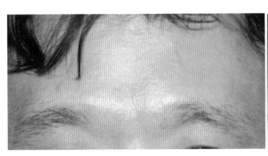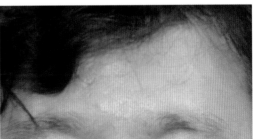

Figure 2-12. 미간 시술 전후

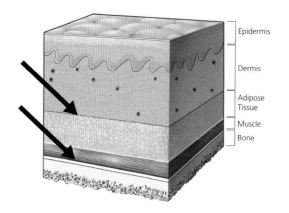

Epidermis

Dermis

Adipose
Tissue

Muscle

Bone

• Submuscular injection for volume
Perlane or SubQ : 0.5-1 cc
Perlane : 27 G cannula
SubQ : 23 G cannula

• Subdermal injection to improve the depressed
wrinkle line and to compensate the deficient
area to make even surface
- Restylane lidocaine 0.3-0.5 cc
 : 30 G nano needle
- Be cautious when injecting into glabellar
frown line due to supratrochlear artery branch
- Beware of central forehead artery on the
midline forehead crease

Figure 2-13. Glabella : Injection plane, Products, Injection volume and accessories

선과 동반되는 경우가 많으므로 이런 주름선을 약화시키기 위하여 추미근에 대한 toxin 시술을 같이 해주는 것이 좋으며 주름선 각각에도 필러를 주입하여 파여 보이는 주름선을 평평하게 해주는 것이 좋다(Figure 2-12).

보통 주름선 밑에는 근육층 속이나 위쪽으로 supratrochlear artery의 branch가 지나가며 어중간하게 피하층에 주입 시 이런 혈관들의 variation된 branch들이 다칠 염려가 크므로 주름선을 따라 진피층이나 진피를 포함한 진피밑층을 유지하면서 부드러운 필러를 주입하여 위축된 진피층을 살려서 주름선 부위를 최대한 평평하게 해주어야 한다(Figure 2-13).

이때 주름선을 따라 linear threading tech.으로 필러를 주입하기보다는 주름선의 옆에서 90도 각도로 주입하는 fern leaf tech.이나 주름선 옆에서 60도 정도의 각도를 유지하며 내려가는 duck walk tech.을 구사하여 파여진 주름선들을 tenting시켜서 살려주는 게 좋다. 주름선이 파묻혀 있을 경우 살리고자 하는 부위에 들어가지 않고 그 옆으로 주입될 수 있으므로 주름선이 있는 피부를 모아주는 pinching이나 holding technique, 혹은 주름선 옆의 피부를 당기는 stretching technique을 실시하여 주름선이 드러나도록 한 후 정확히 선을 따라 주입해야 한다. 이렇게 해야 파묻힌 주름선을 효과적으로 평평하게 해줄 수 있고 주름선 옆으로 필러가 삐져나와서 오히려 주름선이 있는 부위가 너 울퉁불퉁해 보이는 것을 방지할 수 있으며 또한 주름선을 따라 평행하게 니들을 주입 시 혈관 내로 바늘이 진행되어 출혈에 의한 피부괴사나 심각한 합병증인 혈관 내 필러 주입에 의해 생기는 emboli의 혈관 내 역류로 인해 발생할 수 있는 retinal artery occlusion에 의한 실명도 막을 수 있다.

미간 부위를 찡그릴 때 medial canthus를 이은 선 근처나 nasion부터 eyebrow의 사이까지 분포하는 비근근이 수축하여 코뿌리 부위에 가로로 생기는 주름선을 만들 수 있는데 이때 비근근에 대한 toxin 시술과 함께 가로로 생기는 주름선으로 파여 보이는 부분에도 필러 시술을 하여 주름선을 개선시킬 수 있다. 주름선 밑으로 medial canthus 사이나 약간 아래로 동양인의 약 70%에서 비근근 위로 주행하는 intercanthal vein이 존재하는데 이곳에 어중간한 깊이의 피하층으로 니들을 찔러서 필러 주입 시 이 vein이 다치거나 혈관 내 주입을 하여 문제가 생길 수 있으므로 glabellar frown line과 마찬가지로 되도록 주름선에 직각이나 60도 정도 각도로 얕게 부드러운 HA 필러로 진피층을 포함한 진피하 주사를 하여 파인 주름선을 평평하게 해주는 것이 좋으며 볼륨을 살려줘야 될 때는 코의 비근 부위의 필러 주입과 마찬가지로 카뉼라를 이용하여 근육층 밑의 깊은 지방층을 살려주는 것이 좋다.

참고문헌

1. Costin BR. et al. Anatomy and Histology of the Frontalis Muscle, Ophthal Plast Reconstr Surg. Epub ahead of print, 2014.

2. Rohrich RJ. The fat compartments of the face: Anatomy and clinical Implications for cosmetic surgery. Plast. Reconstr. Surg. 119: 2219, 2007.

3. Pessa JE. Rohrich RJ. Clinical Anatomy of the Face. Quality Medical Publishing. 2012

4. Wu W, et al. Aesth Plast Surg. 2010 ;34:88-95.

5. Jones D. Clin Plastic Surg. 2011;38:379-390.

백형익

1. 디자인

이마는 튀어나온 부분과 들어간 부분이 불규칙적으로 연결되어 있으며 상당히 넓은 부분을 시술을 해야 하기 때문에 필러 시술 전 디자인이 매우 중요하다. 특히 필러 시술 전 시술부위에 직접 리도카인과 같은 마취약물을 이용해서 부분마취를 할 경우 마취약물에 의해서 부분적으로 필러를 주입하는 양의 배분에 어려움이 있으며 부분마취 약물이 흡수되었을 때 시술부위가 고르지 못할 수 있기 때문이다. 디자인은 환자의 요구 상태에 따라서 많이 달라질 수 있다. 이마 전체를 한다는 가정하에 디자인을 한다면 이마와 관자부위의 경계를 표시한 지점을 양쪽 이마의 경계로 하며 눈썹부위의 돌출상태에 따라서 눈썹라인에 가까이 또는 돌출된 윗부분까지를 아래쪽 경계로 할 수 있다. 위쪽 경계는 이마의 넓이를 고려하여, 이마가 좁은 경우 헤어라인 안쪽까지 할 수 있으며 넓은 경우 헤어라인보다 아래쪽까지 정할 수 있다. 그리고 이마의 가장 튀어나온 부분과 함몰된 부위를 구분하여 표시를 하고 가상으로 필러의 양을 배분해 본다.

2. 마취

Supratrochlear nerve와 Supraorbital nerve를 선택적으로 신경마취를 시행하여 시술을 할 수도 있지만, 얼굴의 필러 시술 중 시술시간이 가장 오래 걸리고 시술 후 피부 표면이 울퉁불퉁해질 가능성이 가장 많아 신중한 시술이 요구된다. 시술하는 캐뉼라나 니들이 이마의 뼈와 닿을 때 느끼는 환자의 불편함을 줄이기 위해서 부분마취를 선호한다. 먼저 캐뉼라가 들어갈 5군데 정도의 자입점을 부분마취하며 이곳을 통해서 길이 50 mm, 직경 23게이지의 끝이 뭉뚝한 캐뉼라를 사용해 1:200,000 정도의 에피네프린이 포함된 1% 리도카인으로 시술부위 전체를 고르게 부분마취를 시행한다. 이때 전체 주입된 부분마취제는 3 cc 이내로 한다.

3. 시술법

1) Cannula

23게이지, 50 mm 길이의 캐뉼라를 사용하여 5군데 정도의 자입점으로부터 fanning technique으로 시술부위가 여러 차례 겹치게 주입을 하는데 캐뉼라를 뒤로 빼면서 주사하는 방법을 사용하며 한 번에 많은 양의 필러가 들어가지 않도록 주의를 기울여 충분한 시간을 갖고 시술을 한다. 필러를 주입하는 위치는 골막위 또는 Subgaleal layer가 되도록 한다.

2) 이마 전체를 필러로 주입한다고 가정할 때 전체 주입된 필러의 볼륨은 가급적 3 cc가 넘지 않도록 한다.

3) 경과 및 시술 전후 사진

필러 시술 전 주입된 부분마취 약물은 필러 시술 후 몇 시간 이내에 늦어도 시술 다음날 안에는 흡수가 일어나지만 부분마취 약물에 의한 그리고 필러 시술에 의한 이마 자체의 부기가 생기게 된다. 이를 고려하여 최소한 시술 후 일주일 뒤에 경과를 관찰하는 것이 좋다. 그러나 시술 전 주의사항을 설명할 때 시술 후 시술 부위에 조그마한 변화가 일어나면 반드시 지체하지 말고 방문하도록 주의를 주는 것이 좋다.

4) 시술 시 주의 사항

Supraorbital artery와 Supratrochlear artery가 notch 또는 foramen에서 나오는 부분은 골막위 부분으로 frontalis로 들어가기 전까지는 필러가 주입되는 layer와 같기 때문에 그 부위에 필러를 주입할 때는 특히 더 조심해야 한다.

5) 부작용 및 해결법

시술 후 다음날 부분마취약에 의한 부기가 눈과 미간 사이 아래쪽 코 부위로 생길 수가 있는데 이는 눈썹 가까이까지 필러를 주입하기 위해서 부분마취를 했던 경우에서 발생할 가능성이 높다. 아무런 조치를 취하지 않아도 대부분은 부기가 발생한 날로부터 4-5일 안에는 해결이 되지만 빠른 회복을 위해 냉찜질을 하는 것이 도움이 된다. 시술 또는 부분마취 시에 Supraorbital nerve또는 Supratrochlear nerve를 캐뉼라나 니들로 손상을 주었을 경우에 두피 쪽으로 이상감각 또는 통증이 발생하는 경우가 있는데 사라질 때까지 대증요법을 해주는 것이 좋다. 시술 후 2~3일 내에 시술 부위 중 부분적으로 홍조가 생기면서 만졌을 때 통증이 동반된다면 혈액순환 장애로 인한 피부괴사의 전 단계로 의심하고 적극적으로 대처하는 것이 바람직하다. 이런 경우 Supraorbital artery 또는 Supratrochlear artery의 주행 방향을 고려해 hyaluronidase를 주사하고 마사지를 통해서 혈액순환을 개선시키도록 노력하는 것이 도움이 된다.

이마시술 한 눈에 비교하기

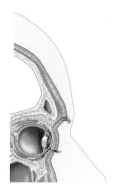

홍기웅-이마

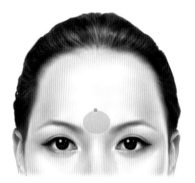
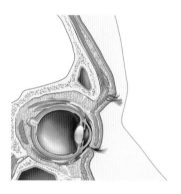

홍기웅-미간

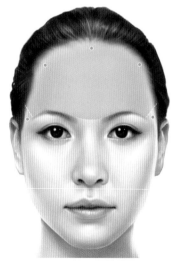

백형익-이마

	홍기웅-이마	홍기웅-미간	백형익
주사기/캐뉼라	캐뉼라 23 G 사용, 단단한 필러로 모양을 만든 후 부드러운 필러로 표면을 매끈하게 마무리	캐뉼라 23 G 사용 : 단단한 필러로 꺼져 보이는 부분을 살려서 모양을 매끈하게 만들고 싶을 때 니들 30 G 사용 : 미간 주름선을 옅게 만들고 싶을 때	캐뉼라 23 G
한쪽당 주입량	단단한 필러 1.5-2 cc 부드러운 필러 0.5-1 cc	꺼진부위를 살릴 때 : 단단한 필러 0.5-1 cc 주름선을 옅게 하고 싶을 때 : 제일 부드러운 필러 0.3-0.5 cc	3 cc
필러 강도(G*) 선택 : 더채움필러 No.1,2,3,4 [판매사: 휴젤(주)] 기준	단단한 필러 넘버3 부드러운 필러 넘버2	단단한 필러 넘버 3 부드러운 필러 넘버 1	넘버 3
마취방법	마취연고 후 진입포인트만 국소리도케인 주사	캐뉼라 사용시 : 마취연고 후 진입포인트만 국소리도케인 주사 니들 사용시 : 마취연고	국소리도케인, 신경리노케인
주입 테크닉	Retrograde horizontal fanning and crossing technique : 전체적인 볼륨을 살릴 때 Droplet technique : 부분적으로 꺼진 부위	Retrograde horizontal fanning and crossing technique : 전체적으로 꺼진 부위의 볼륨을 살려줄 때 Droplet technique : 부분적으로 꺼진 부위를 살려서 매끈하게 할 때 Fern leaf or duck walk technique : 주름선을 따라서 부드러운 필러를 주사할 때	Fan technique
주입층	단단한 필러 : subgaleo-frontalis muscle layer 부드러운 필러 : subdermal layer	단단한 필러는 submuscular layer 주름선을 따라 부드러운 필러를 주입 시 dermal or superficial subdermal layer	골막위

chapter 03

관자

백형익

1. 디자인

관자부위의 함몰된 부분을 정할 때는 환자를 정면에서 본 상태에서 zygomatic arch의 위쪽 경계부위부터 두개골까지 이상적인 가상의 연장선을 긋는다. 필러가 들어갈 가장 아래쪽 경계와 위쪽 경계를 표시하여 orbital rim의 외측 부위와 헤어라인 부위가 양쪽 경계가 되도록 디자인한다.

2. 마취

마취는 부분마취로 시행되며 1:200,000 정도의 에피네프린이 포함된 1% 리도카인으로 한군데의 자입점을 부분마취하며, 23게이지 캐뉼라를 이용해 필러가 시술될 관자 부위 전체를 부분마취한다.

3. 시술법

1) Cannula

23게이지 50 mm 캐뉼라를 사용하여 하나의 자입점으로 Superficial temporal fascia와 Deep temporal fascia 사이의 layer로 필러를 주입시키며, fan technique을 사용한다. 항상 먼저 캐뉼라를 위치시키고 뒤로 빼면서 필러를 주사하는 retrograde injection 방법으로 주사한다. 자입점은 Superficial temporal artery의 주행 방향을 고려해 정할 수 있다. 하지만 자입점의 위치가 중요하지 않은 이유는 결국 중요한 혈관이 없는 피부만 23게이지 니들로 뚫기 때문에, 그 곳을 통해 주입한 캐뉼라가 위치하는 layer 또는 필러가 위치하게 되는 layer가 혈관의 손상 또는 혈관 내 필러의 주입을 방지하기 위해서 더 중요할 수밖에 없다. 관자의 전체 부위에 쉽고 고르게 필러를 주입할 수 있는 자입점은 디자인 시 관자 부위 아래쪽 경계보다 약간 아래에 위치하면서 좌우 관자 경계의 가운데 부분이 될 것이다. 끝이 뭉툭한 캐뉼라지만 23게이지 캐뉼라로 쉽게 큰 힘 없이 Superficial temporal fascia를 뚫고 Deep temporal fascia와의 사이에 위치시키는 것은 생각보다 어렵지 않다. 이는 필러를 피하지방층에 주입할 경우에 비해 몇 가지 장점이 있다. 첫번째는 superficial temporal artery와 temporal branch of facial nerve 등 중요한 구조물이 Superficial temporal fascia 내에 보호되어 지나가고 있기 때문에 피하지방층에 필러를 주입하는 것보다 혈관에 손상을 줄 가능성이 더 적다고 생각이 된다. 두 번째는 시술 부위의 표면을 고르게 만드는 것도 더 유리하다. 그리고 Temporalis muscle 하방에 필러를 주입하는 것과 비교해서는 더 적은 양의 필러로도 같은 결과를 얻을 수 있는 장점이 있다. 필러를 위치시킬 수 있는 또 다른 layer로 Deep temporal fascia의 Deep layer와 Superficial layer 사이도 가능하지만 관자 전체 부위에 고르게 필러를 주입하는 데 어려움이 있다. 이곳에는 Middle temporal vein이 지나가는 곳이므로 zygomatic arch 바로 위의 함몰부위만을 교정할 때를 제외하고는 피하는 것이 좋다.

2) 주입 볼륨은 보통 한쪽 관자 전체를 주입할 경우 1 cc 내외로 하는 것이 좋다.

3) 경과 및 시술 전후 사진

필러 시술 전 주입한 부분마취약의 흡수는 보통 몇 시간 안에 다 이루어지며 큰 부기가 없는 곳이므로 특별한 문제가 없는 한 일주일 뒤에 경과를 보면 된다.

4) 시술 시 주의사항

시술 시 출혈이 발생하면 눈 주변으로 심하게 멍이 들 수 있기 때문에 시술 시 캐뉼라의 조작을 부드럽고 조심스럽게 행하는 것이 좋다.

5) 해당부위의 부작용 및 해결법

가장 많이 발생하는 부작용으로는 시술 시 발생한 출혈에 의한 멍이 있지만 멍에 대한 일반적인 치료를 해주면 된다.

홍기웅

1. 시술 전 고려 사항

관자놀이는 측두근이 시작되는 superior temporal line (STL) 혹은 superior temporal septum (STS) 아래쪽의 오목한 부위를 말한다. 한국인의 경우 발달된 광대뼈와 관골궁으로 인해 나이가 들어 볼륨이 꺼지게 되면 관자놀이 부위가 더 퀭해보이게 된다. 이 경우 필러를 이용해 꺼진 관자놀이 부위를 살려서 이마의 옆선 및 관골궁과 연결되는 부위를 부드럽게 해주면 상안면부의 옆 얼굴선이 매끈하게 되어, 노안과 사나운 인상을 개선할 수 있다.

2. 해부학적 고려 사항

관자놀이 부위의 성공적인 볼륨개선을 위해 우선 이 부위의 층을 알아야 하는데 관자놀이 부위의 바닥을 형성하는 측두골에 해당되는 부위를 temporal fossa라고 한다. 그 위에 측두근이 있고 측두근을 감싸는 두 개의 근막층이 존재하는데 얕게 있는 근막층은 superficial temporal fascia (STF) 혹은 temporoparietal fascia (TPF)라고 한다. superficial temporal artery와 vein을 둘러싸면서 이마와 두정부로는 galea aponeurotica, 중안면부로는 SMAS로 이어지는 근막층이다. 깊은 곳의 근막층은 deep temporal fascia (DTF), temporalis fascia 혹은 temporalis muscle fascia라고도 부르며 superior temporal septum (STS)에서 시작해 아래로 내려오면서 두 층(superficial & deep layer)으로 나뉘며 나뉜 두 층은 관골궁의 상방 1 cm 정도에서 다시 합쳐지거나 혹은 합쳐지지 않은 상태로 arch를 감싸게 되는데 사람마다 개인차가 존재할 수 있다. 이들 구조물 사이에 형성되는 공간을 살펴보면 먼저 측두근과 DTF 사이에 buccal fat pad의 extension인 deep temporal fat pad (DTFP)가 존재하고 DTF의 superf. & deep layer 사이에는 superficial temporal fat pad (STFP 혹은 그냥 temporal fat pad라고도 불림)가 존재하는데 보통 관골궁 위로 3~4 cm 정도에 걸쳐 있다고 본다. STF 와 DTF 사이에는 compartment와 같은 space가 존재하며 이 space는 inferior temporal septum (ITS)에 의해 위, 아래로 갈리는데 각각을 upper & lower temporal compartment 라고 부른다(Table 3-1).

근막층 위로는 피하지방층과 피부가 있으며 두 compartment를 비교해보면, upper temporal compartment는 내측의 supraorbital ligamentous adhesion으로부터 이어지는 단단한 구조물인 temporal ligament adhesion의 연장선인 STS와 ITS으로 둘러싸여 막힌 구조로 되어 있다. 그 안에 중요한 혈관이나 신경없이 soft tissue로만 이루어져 있어, 실리프팅 시 anchoring을 시행하는 안심 시술이 가능한 층이다. Lower temporal compartment 는 ITS 아래 형성되는 triangular-shaped area로 upper temporal compartment가 지방조직이 거의 없는 반면 lower temporal compartment는 arch쪽으로 가까이 갈수록 지방조직이 많이 존재한다. 위쪽은 ITS로 막혀있는 것에 비해 관골궁에 접하는 아래쪽은 막혀 있지 않아 중요한 혈관과 신경이 지나게 되는데 안면신경의 temporal branch, zygomaticotemporal nerve (ZTN)의 med. & lat. branch, sentinel vein 등이 존재하며 특히 안면신경의 temporal branch는 ITS의 경계를 따라 거의 평행하게 주행하는 경우가 많지만 개인차는 반드시 존재한다.

관자놀이에 혈액을 공급하는 superficial temporal art. (STA)와 deep temporal art. (DTA) 를 살펴보면 STA는 external carotid art. (ECA)로부터 바로 분지되어 관자놀이와 이마, 두정부의 혈행을 담당한다. DTA는 ECA의 분지인 maxillary artery로부터 분지되어 측두근

Table 3-1. Layers of temple compared to other layers

Basic layer	Midface	Temples
skin	skin	skin
subcutaneous tissue	superficical fat compartment	lateral temporal cheek fat
musculo aponeurotic layer	SMAS	superficial temporal fascia (STF) or temporoparietal fascia (TPF)
loose areolar tissue (LAT)	deep fat compartment	upper temporal compartment (UTC) or innominate fascia lower temporal compartment (LTC) or fibrofatty extension, parotid temporal fascia (PTF)
periosteum	facial muscles	superficial and deep layer of deep temporal fascial (DTF) or temporalis fascia (TF)

의 혈행을 담당한다. STA는 귀의 tragus 앞의 preauricular crease를 따라 수직에 가깝게 위로 주행하다가 superior orbital rim의 수평선 부근에서 앞뒤로 갈라져 ant. & post. branch를 낸다. ant. branch는 평균 60도 각도로 앞으로 기울어져 STF에 감싸져서 superomedial direction으로 주행하다 lateral eyebrow의 upper margin으로부터 1.5-2 cm 정도 위에서 STF와 이어지는 전두근의 lateral margin으로 들어오게 되는데 lateral canthus에서 그은 수직선의 바깥쪽에서는 전두근에 감싸져 있다가 이 수직선을 지나면서 점점 표면으로 올라가 피하조직에 STA의 분지를 내게 된다(Figure 3-1).

관자놀이 부위 운동 신경의 주행을 살펴보면 안면신경의 temporal branch는 위에서 언급한 대로 보통 ITS를 따라 평행하게 주행한다. 대개가 STA의 ant. branch보다 inferomedial에 위치하게 되는데 tragus에서 0.5 cm 아래점과 눈썹의 lat. margin에서 위로 1.5 cm에 위치하는 점을 이은 가상의 선인 Pitanguy's line으로도 신경의 주행경로를 파악할 수 있다. 주행하는 깊이를 보면 temporal branch는 parotid gland에서 나온 후 parotid-masseteric fascia를 뚫고서 관골궁 위를 통과하면서 STF의 under surface를 따라 진행하므로 이렇게

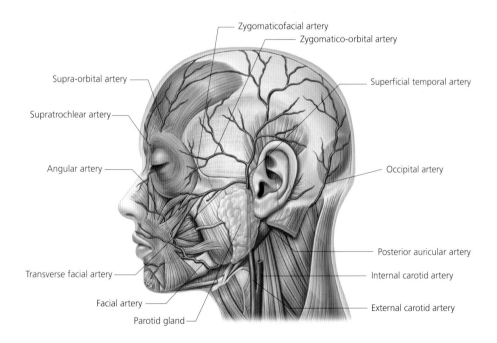

Figure 3-1. Superficial temporal artery

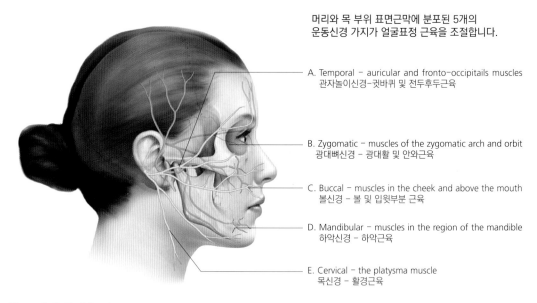

머리와 목 부위 표면근막에 분포된 5개의
운동신경 가지가 얼굴표정 근육을 조절합니다.

A. Temporal - auricular and fronto-occipitails muscles
관자놀이신경-귓바퀴 및 전두후두근육

B. Zygomatic - muscles of the zygomatic arch and orbit
광대뼈신경 - 광대활 및 안와근육

C. Buccal - muscles in the cheek and above the mouth
볼신경 - 볼 및 입윗부분 근육

D. Mandibular - muscles in the region of the mandible
하악신경 - 하악근육

E. Cervical - the platysma muscle
목신경 - 활경근육

Figure 3-2. Facial motor nerves

superficial하게 진행하는 부위에서는 특히 주의를 요한다. 보통 관골궁의 upper border에서 2~3 cm 위쪽, lateral orbital rim으로부터 1~1.5 cm 정도 바깥쪽에 위치하는 곳에서부터 temporal branch가 STF의 바로 밑으로 주행하게 된다(Figure 3-2).

관자놀이 부위에 있는 주요 정맥인 sentinel vein과 middle temporal vein은 얼굴에 있는 가장 큰 정맥들 중의 하나로 혈관 내에 필러가 잘못 들어가면 venous drainage를 통하여 cavernous sinus thrombosis나 pulmonary embolism의 증상들이 나타날 가능성이 존재하므로 주의해야 한다. 먼저 middle temporal vein은 DTF의 superf. layer와 deep layer 사이에 있는 superf. temporal fat pad (STFP) 내에 존재하며 관골궁의 upper border 상방 2 cm 정도 위를 수평으로 주행하는 직경이 약 5~10 mm인 큰 vein으로 superf. temporal vein을 통해 drainage된다. 필러가 잘못 들어가면 internal jugular vein을 통하여 pulmonary embolism을 일으킬 가능성이 있으며 지방이식 사례에서는 실제 이 혈관에 들어간 지방이 embolism을 일으킨 경우가 보고되고 있다(Figure 3-3).

Sentinel vein은 medial zygomatico-temporal vein이라고도 하는데 internal maxillary vein의 분지로서 직경은 2~3 mm 정도로 수직으로 temporalis muscle, DTF와 STF를 뚫고 들어가며 보통 수직으로 들어가는 자리는 frontozygomatic suture line의 외측 5 mm로

Figure 3-3. Middle temporal vein

lateral canthus로부터 2.5 cm 정도 떨어진 자리이다. Face lifting 수술 시 STF와 DTF 사이를 박리하여 들어가다 보면 두 fascia 사이에서 정맥 색깔인 보라색의 기둥처럼 보이는 혈관을 볼 수 있다. DTF를 뚫고 STF까지 나온 후 subcutaneous layer로 눈썹 외측과 temporal crest로 가는 분지를 내게 되는데, 피부가 얇은 경우 머리를 아래로 두는 경우와 valsalva maneuver를 하여 머리쪽의 venous pressure를 올리게 되면 혈관이 두드러져 보여 주행을 확인할 수 있다. 간혹 관자놀이 부위의 볼륨을 많이 채울 경우 시술 후 더 튀어나와 보이는 경우도 있다. 전에는 face lifting 수술 시 sentinel vein의 수직기둥을 찾으면 그 밑으로 주행하는 안면신경의 temporal branch를 찾을 수 있다고 하여 일종의 안면신경의 land mark로 생각되었다. 하지만 요즘 안면신경은 ITS에 붙어서 거의 평행하게 진행하고 sentinel vein은 그 아래쪽에서 나오는 경우가 많아, 실제적인 안면신경의 indicator 기능을 못한다는 소견도 있다. 임상적으로 sentinel vein은 주로 middle temporal vein과 통하지만 일부는 periorbital vein을 통하여 supratrochlear & supraorbital vein 등과 만나며 다시 이 vein들은 superior ophthalmic vein과 연결되어 cranial cavity 안에 있는 cavernous sinus까지 통할 수 있다. 그렇기 때문에 이 혈관에 필러나 지방을 잘못 주입할 경우 cavernous sinus thrombosis와 같은 증상이 발생할 가능성이 존재하므로 주의해야 한다. 피하조직으로부터 근막을 뚫고

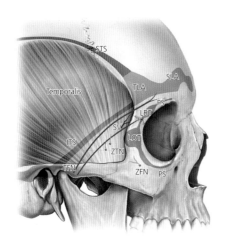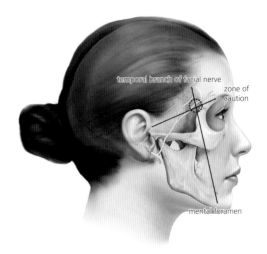

Figure 3-4. Relationship of temporal branch of facial nerve(TFN) & sentinel vein

sentinel vein이 들어가는 포인트 근처에 안면신경의 분지도 superficial하게 주행하여 올라
오게 되므로 두 구조물이 근접해 있는 부위를 caution zone이라고 하며 귀의 helical root
로부터 superior orbit의 inner margin으로 선을 그었을 때 lateral orbital rim의 outer
margin과 만나는 점의 바깥쪽에 그린 약 1 cm 지름의 원을 말하는데, 시술할 때는 이 circle
안에 두 구조물이 존재한다고 생각하며 조심하는 것이 좋다(Figure 3-4).

3. 시술법

1) Plane
선천적 원인 혹은 체중감소로 측두근이나 STFP의 볼륨이 감소할 수 있고 노화의 진행으로 측
두근을 받치고 있던 buccal fat pad의 볼륨과 탄력이 감소됨에 따라 뺨쪽으로의 하강이 진행
되며 동시에 DTFP의 볼륨 감소도 진행되어 볼륨의 복구가 필요할 수 있다. 필러를 주입할 수
있는 공간을 살펴보면 우선 subcutaneous layer가 있으나 관자놀이의 이 공간은 지방층이 거
의 없기 때문에 필러를 고르게 주입하는 것이 어려워 시술 후 울퉁불퉁하게 보일 가능성이 높
아 추천하기 어렵다. 근막층 사이와 근육 밑층이 볼륨을 살리기 좋은 공간인데 보통 꺼진 정
도가 심하지 않을 때는 STF와 DTF 사이의 compartment가 적당하며 많은 볼륨을 살려야 할
때는 DTF의 superf. & deep layer 사이의 STFP나 측두근 밑에 주입하는 것이 좋다. DTFP는

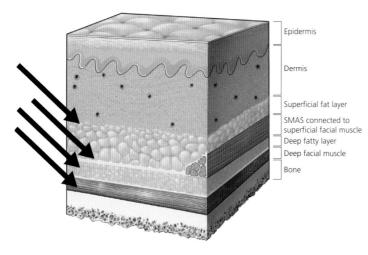

Injection plane
- Subfascial injection : between the STF(TPF) and DTF by cannula
- Superf. temporal fat pad (STFP) injection between superf. and deep layer of DTF by cannula
- submuscular area injection by needle when fat pad layer is scarce
  - SubQ 1-2 cc for each area 23 G needle or cannula if necessary, 0.5-1 cc restylane lidocaine subdermal injection to even the shoulder margin of the augmented area

(image labels: Epidermis, Dermis, Superficial fat layer, SMAS connected to superficial facial muscle, Deep fatty layer, Deep facial muscle, Bone)

Figure 3-5. Temples : Injection plane and products

정확하게 층을 찾아 주입하기 어려우며, 근육 내에 잘못 주입하면 deep temporal artery & vein의 branch를 건드릴 위험이 있고 근육의 움직임에 의해 지속기간이 짧아지므로 바람직한 시술층이 아니다(Figure 3-5).

2) Point

관자놀이가 꺼진 경우 대부분 앞쪽 2/3가 꺼지는 경우가 많다. 먼저 볼륨 감소가 심하지 않아 적당하게 살려주면 될 때 카눌라를 이용하여 앞쪽 2/3를 살려주는 경우의 이마와 측두부의 경계부 근처 눈썹(보통 lateral canthus에서 그은 수직선상에 위치하는 눈썹)의 가장 올라온 지점 위쪽 margin 피부에 puncture site를 만들면 superficial temporal artery의 ant. branch와 안면신경의 temporal branch의 주된 주행 경로를 피할 수 있다. 이때 피부 밑으로 주행하는 정맥 혈관의 branch가 보일 경우 이를 피해서 시행해야 된다. 카눌라 주입 후 첫 번째 저항이 느껴지는 STF를 뚫고서 단단한 저항의 DTF가 느껴지면 이 두 fascia 사이의 공간을 따라 카눌라를 부드럽게 진행하여 꺼져있는 부분을 중심으로 STF와 DTF 사이의 upper & lower temporal compartment를 살려주면 된다. 카눌라를 진행할 때 ITS의 위치를 되도록 초입부분에서 고려하여 평행하게 진행하고, 그 밑으로 내려가지 않도록 하면 ITS 아래 위치하는 중요한 신경과 혈관을 건드릴 위험이 적다(Figure 3-6).

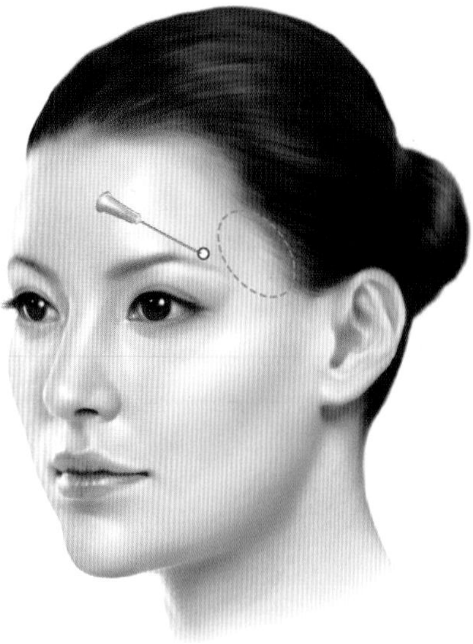
1st Injection entry point for anterior main depression
• upper margin of eyebrow on lateral canthal line around the border of forehead and temple
Injection technique
• Retrograde horizontal fanning technique

Figure 3-6. Temples : Injection point and techniques for mild depression

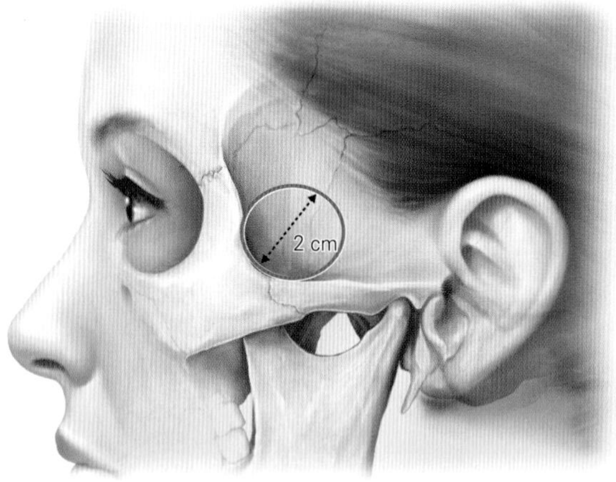
2 cm

Figure 3-7. Temples : Injection point and techniques for main depression
Circle with a 2cm diameter along the border line of the upper margin of zygomatic arch and the lateral margin of lateral orbital rim

꺼짐이 심한 경우 보통 관골궁 위쪽이 심하게 꺼지므로 이 부분의 볼륨을 많이 살려줘야 되는데 DTF의 superf. & deep layer 사이의 STFP나 측두근과 골막 사이 공간이 적당하며 관골궁 위 주입 포인트는 관골궁 upper margin과 lateral orbital rim의 lateral margin이 만나는 지점에 위치하는 직경 1.5 cm 정도의 가상의 원을 그린 후 이 원 안에서 주입 포인트를 만들면 안면신경의 branch, zygomaticotemporal nerve, sentinel vein, middle temporal vein에 대한 손상 염려 없이 깊은 층에 필러를 주입할 수 있다(Figure 3-7).

STFP에 필러를 주입할 때는 needle puncture 후 카뉼라를 삽입하여 첫 번째 fascia인 STF는 쉽게 뚫린 뒤 다음으로 저항이 느껴지는 DTF의 superf. layer를 만나게 된다. 이 fascia를 뚫고 나면 다음으로 아주 단단한 DTF의 deep layer를 느낄 수 있다. 이 DTF의 deep layer를 따라 부드럽게 카뉼라를 진행하여 superf. Layer와 deep layer 사이에 있는 STFP 내에 필러 주입이 가능하다. 이 때 middle temporal vein을 최대한 건들지 않도록 주행 시 floor 쪽에 카뉼라를 붙이고 되도록 관골궁 위 2 cm 범위 내에서 볼륨을 살려주도록 하며, 그 위의 범위는 보통 꺼짐이 심하지 않으므로 시술층을 바꾸어 STF와 DTF 사이에 시술하도록 한다. DTF의 deep layer를 뚫고서 근육 밑으로 진입할 때는 카뉼라보다는 니들을 사용하는 것이 수월하며 위에서 언급한 안전한 원 안에서 수직으로 니들을 진입시켜 단단한 근막층을 뚫고 근육을 지나 골막층에 닿은 것을 확인한 후 골막을 따라 근육밑에 필러를 주입해야 하는데 어느 정도 볼륨을 살리기 위해서는 상당히 많은 양의 필러가 필요하므로 미리 필러의 양에 대한 고려를 한 후 시술하는 것이 좋다.

Main depression인 앞쪽 2/3 꺼짐을 교정하면서 뒤쪽 1/3 꺼짐까지 교정해야 하는 경우 앞쪽의 진입 포인트를 통해 뒤까지 시술하기보다는 뒤쪽에 새로운 진입 포인트를 만들기

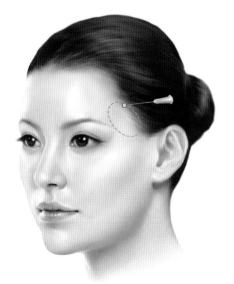

2nd Injection entry point for posterior depression, if necessary
• Anterior hairline point (about 1cm above eyebrow level)

Injection technique
• Retrograde horizontal fanning technique

Figure 3-8. Temples : Injection point and techniques for posterior depression

를 권하는데 뒤쪽 꺼짐은 대개 큰 볼륨이 필요 없으므로 STF와 DTF 사이 upper temporal compartment를 살려주면 되며 진입 포인트는 눈썹의 upper margin에서 수평선을 그어서 hair line과 만나는 지점에서 위로 1cm 정도 떨어진 hairline에 진입 포인트를 잡으면 신경이나 혈관의 손상 걱정 없이 시술이 가능하며 puncture 후 카눌라를 진입하여 앞쪽의 볼륨을 살려줄 때와 마찬가지로 뒤쪽의 볼륨을 살려주면 된다(Figure 3-8).

어느 정도의 볼륨을 살려준 후 울퉁불퉁한 표면이 보이거나 볼륨이 살아난 곳 주변부로 경계가 표시나는 부위는 부드러운 필러를 진피층을 포함한 진피하층에 주입하여 표면을 매끄럽게하고 시술을 마무리한다(Figure 3-9).

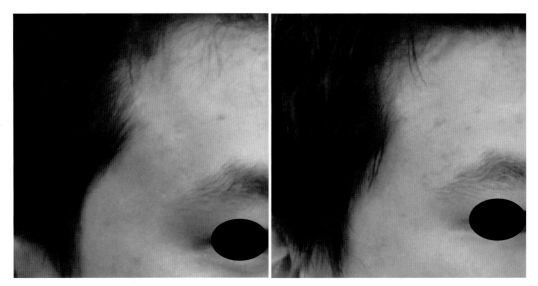

Figure 3-9. 관자놀이 시술 전후

측두근 밑에 needle을 이용하여 필러 시술 시 일부에서 temporal fossa 파인 부분에서 가장 오목한 부분에 단순하게 진입 포인트를 잡아 혈관 내 투여를 피하기 위해 superficial temporal artery의 동맥 맥박을 느낀 후 맥박이 느껴지는 부위를 피하여 니들을 깊숙이 찔러넣으면 된다고 하나 이럴 경우 superficial temporal artery뿐 아니라 안면신경의 temporal branch, middle temporal vein, 측두근 내의 deep temporal art. & vein 등의 손상의 가능성이 존재하므로 안전한 방법이 될 수 없다.

참고문헌

1. New Perspectives on the Surgical Anatomy and Nomenclature of the Temporal Region: Literature Review and Dissection Study Justin X. O'Brien, B.M.B.S., P.G.Dip.Surg.Anat. Mark W. Ashton, M.B.B.S., M.D. Warren M. Rozen, M.B.B.S., M.D., Ph.D. Richard Ross, B.M.B.S., P.G.Dip.Surg.Anat. Bryan C. Mendelson, M.B.B.S. Parkville, Victoria, Australia Received for publication June 10, 2012; accepted September 12, 2012. Copyright ©013 by the American Society of Plastic Surgeons DOI: 10.1097/PRS.0b013e31827c6ed6

2. Hwang K, et al. Attachment of the Deep Temporal Fascia to the Zygomatic Arch: An Anatomic Study, Journal of Craniofacial Surg. 10(4): 342. 1999

3. Lei T, et al. Using the Frontal Branch of the Superficial Temporal Artery as a Landmark for Locating the Course of the Temporal Branch of the Facial Nerve during Rhytidectomy: An Anatomical Study. Plast. Reconstr. Surg. 116: 623, 2005.

4. Hwang K. et al. Attachment of the Deep Temporal Fascia to the Zygomatic Arch: An Anatomic Study. Journal of Craniofacial Surg. 10(4), 342, 1999.

5. Matic DB, et al. Temporal Hollowing following Coronal Incision: A Prospective, Randomized, Controlled Trial. Plast. Reconstr. Surg. 121:379e. 2008.

관자시술 한 눈에 비교하기

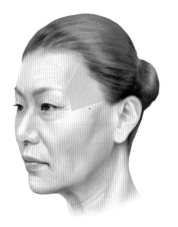 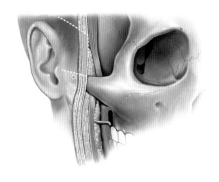

백형익-관자

 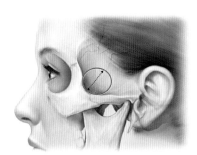

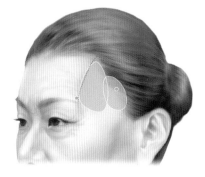 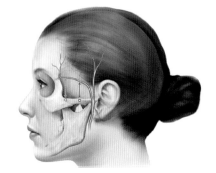

홍기웅-관자

	백형익	홍기웅
주사기/캐뉼라	캐뉼라 23 G	약한 꺼짐, 캐뉼라 23 G 사용 : 보통 강도의 필러로 꺼져 보이는 부분과 아닌 부분의 경계를 매끈하게 만들고 싶을 때 심한 꺼짐, 21 G 사용 : 꺼져 있는 부분을 살리고 싶을 때
한쪽당 주입량	1 cc	약한 꺼짐 : 중간 강도 필러 0.5-1 cc, 심한 꺼짐 : 단단한 필러나 아주 단단한 필러 1-1.5 cc
필러 강도(G*) 선택 : 더채움필러 No.1,2,3,4 [판매사: 휴젤(주)] 기준	넘버 3	약한 꺼짐 : 넘버 2 심한 꺼짐 : 넘버 3~4
마취방법	국소리도케인	마취연고 후 진입포인트만 국소리도케인 주사
주입 테크닉	Fan technique	Retrograde horizontal fanning and crossing technique : 약한 꺼짐 Fanning with sandwich technique, Bolus with tower technique : 심한 꺼짐
주입층	Superficial temporal fascia 아래층	약한 꺼짐 : compartment space between superficial temporal fascia and deep temporal fascia 심한 꺼짐 : superficial temporal fat pad 혹은 subtemporalis muscle space

chapter 04

볼

Anteromedial cheek
Buccal cheek
Lateral cheek

Anteromedial cheek

김의식

앞광대 꺼짐 Anteromedial cheek hollowness

1. 디자인

볼 꺼짐에 관해서는 문헌마다 조금씩 용어를 다르
게 쓰고 있고, 동양에서는 주로 buccal과 lateral
을, 서양에서는 anterior쪽을 '볼이 꺼졌다'라고
이야기한다(Figure 4-1-1). 앞광대의 측면 프로파
일 상 Ogee curve의 획득을 위해, apple cheek
을 만들려면, 보강해야 할 malar eminence의 위
치를 서양과 동양에서 다르게 생각한다. 서양인
은 HINDERER'S LINE (Alar groove에서 tragus
를 잇는 직선과 Lateral canthus에서 lateral oral
commissure를 잇는 직선의 교차)의 사 분면 중
상 외측 high cheekbone을 youthful oval face
라 생각하는 데 반해, 동양인은 좌우가 넓고 옆 광
대가 튀어나온 경우가 많아, 얼굴 중앙부에 좀 더
가깝게 만들려는 경향으로, LINE의 교차점 내지는
조금 안쪽을 더 선호한다(Figure 4-1-2). 다른 방법

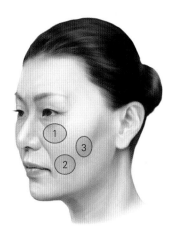

Figure 4-1-1.
Classification of cheek hollowness

1. Anteromedial(Anterior) cheek hollowness
   = Midcheek hollowness
   = Anterior maxillary depression
2. Buccal cheek hollowness (recess)
   = Sunken cheek
   = Hollow cheek
   = Submalar depression
3. Lateral cheek hollowness
   = Zygomatico-malar depression
   = Subzygoma depression

으로, 자연스럽게 미소를 짓게 한 후 볼륨감이 적당히 생기는 앞 광대 부분을 조금 더 살려 보
강해주는 것도 좋다. Sitting position으로 디자인하고, 시술한다.

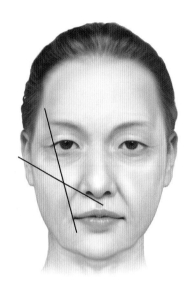

Figure 4-1-2. Hinderer's line

2. 마취

목표 지점의 윤곽을 방해할 우려 때문에, 주사위치(Entry point)에만 소량의 국소 마취를 시행한다.

3. 시술법

대개 볼륨 보강이 필요한 앞광대의 해부학적 구조는 얕은 층에서 깊은 층으로 피부-표층 지방층-OOM-SOOF, DMCF-(prezygomatic space)-preperiosteal fat-골막의 층으로 구분된다(Figure 4-1-3). 이 부분은 근처에 inferior orbital foramen, zygomaticofacial foramen으로부터 나오는 혈관과 신경 다발, nasojugal groove를 따라 진행하는 angular vein, 예기치 않은 detoured facial artery 등의 중요 구조물이 다수 존재하므로 니들보다는 캐뉼라를 선택하여 시술하는 것을 추천한다.

주사 위치는 보강할 부분의 하 외측으로 하되, lateral canthus의 수직선과 alar groove 수평선이 만나는 지점 근처의 두꺼운 피부를 선택하는 것이 멍을 피하고, 위에서 언급한 구조물을 피할 수 있어 좋다(Figure 4-1-4).

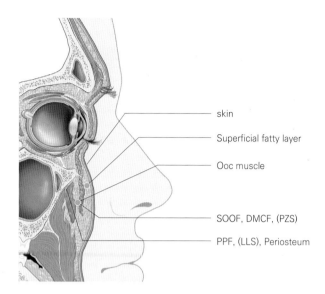

Figure 4-1-3. Anatomical 5 layers of anteromedial cheek area

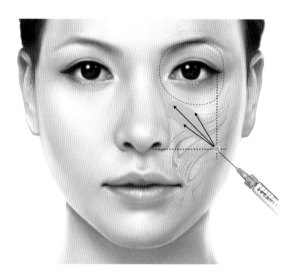

Figure 4-1-4. Entry point for anteromedial cheek hollowness correction

앞광대를 보강할 때, 표층지방층(superficial malar fat pad)만 보강을 하게 되면 미용적으로 부자연스럽고, puffy해지고, 특히나 웃을 때 더 심해지기 때문에, 먼저 high viscosity HA필러로 깊은 지방층인 SOOF, DMCF (deep malar fat pad)를 천천히 소량씩 과하지 않게 보강하고, 꼭 필요하다면, scaffolding effect를 위해 추가로 표층지방층을 보강하는 것이 좋다.

SOOF는 medial limbus와 lateral canthus를 경계로 medial과 lateral로 나누어지는데, Ristow's space와는 반대로 lateral SOOF이 bone과 loose하게 붙어 있어서 prezygomatic space를 형성한다. Prezygomatic space는 SOOF와 preperiosteal fat사이에서 위로는 ORL, 아래로는 ZCLs로 경계지워지는 공간으로 동양인에게 흔하지는 않지만, 광대뼈자체가 빈약하여 골막위로부터 볼륨을 살려야 할 경우에 주입해 볼 수 있는 공간이다. DMCF는 Z. major의 medial에서 upper lip elevators보다 깊은 쪽에 존재하는 deep fat이고, 표층 지방층인 nasolabial fat이 fold의 상방으로만 존재하는 것과 달리 fold의 위 아래로 걸쳐 존재하기 때문에 이곳의 볼륨 감소가 시작되면, 노화의 cascade effect가 발생한다. Z. Major와 facial vein을 경계로 DMCF를 medial과 lateral로 나눌 수 있는데, lateral은 뼈에 딱 붙어 있고, medial는 maxilla의 골막과 헐렁하게 붙어서 Ristow's space를 만든다.

주사하는 반대쪽 손으로는 inferior orbital rim을 막아, 안와 내로의 주입을 막고, 서서히 깊게 SOOF, DMCF를 타겟으로 하여, cannula로 retrograde fanning technique을 사용하여 주입한다. 가능하면 캐뉼라를 아예 바깥으로 빼지는 말고, 입구 쪽으로 최대한 뺐다가 다시 집어 넣는 방식으로 풍차 돌리듯 주입하면 골고루 길이 만들어지기 때문에 균일하게 주입할 수가 있다(Windmill technique). 앞광대는 과 교정하면 부자연스럽기 쉬우므로, 일차로는 under-correction을 하고, 부족하다면 2주 후에 touch-up을 하는 것이 좋다. 한 번에 여러 군데를 교정해야 한다면, 개인적으로는 팔자주름부터 위쪽으로 시계방향 순서로 교정한다. 왜냐하면, 앞광대 함몰이 함께 있는 경우 팔자주름 경계를 넘어 상방에 걸쳐 있는 DMCF를 먼저 교정하면, 앞광대의 교정량을 줄일 수 있고, 앞볼과 뒷볼은 처음에 과 교정을 하면 볼이 너무 넓어 보일 수 있기 때문에 마지막에 교정하는 것이 바람직하다고 생각하기 때문이다. 그래서 팔자 → 앞광대 → 뒷볼 → 앞볼 순서로 보강한다.

홍기웅

1. 시술 전 고려사항

볼이 꺼졌다고 말할 때 보통 한국인들은 관골궁 밑에 있는 바깥쪽 뺨 부위가 꺼져있는 lateral cheek hollow나 입가 주변이 꺼져 있는 buccal cheek hollow를 말하는 경향이 있으나 서양인들은 보통 광대를 포함한 상악 부분의 anteromedial cheek (midcheek hollow)을 의미하거나 malar eminence(광대중심점) 자체의 확대술을 말하는 경우가 많다. 흔히 malar eminence를 살려줘서 apple cheek을 만드는 경우 서양인과 동양인이 선호하는 apple cheek의 위치와 모양 또한 다른데 서양인들은 주로 광대의 가장 높은 부분을 광대의 옆, 윗부분에 만드는 것을 좋아하나, 동양인의 경우 얼굴 자체가 서양인에 비해 넓고 옆 광대가 튀어나온 경우가 많아 얼굴의 중앙부에 좀 더 가깝게 모양을 만드는 게 좋다(Figure 4-1-5).

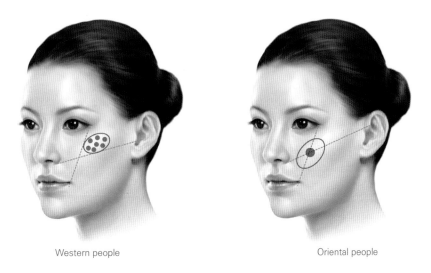

Western people

Oriental people

Figure 4-1-5. Difference of apple cheek location between western and oriental people

동양인을 위한 광대중심점을 잡을 때 보통 alar groove의 upper portion에서 root of helix 와 tragus 사이까지 가로선을 긋고 외안각에서부터 입술의 측면연결부 lateral commissure 까지의 세로선을 그은 후 두 선의 교차점 근처에 광대의 가장 높은 부분을 정하는 것이 좋다. 서양인들처럼 확실하게 튀어나온 모양보다는 웃을 때 볼지방패드가 당겨 올라가 부드럽게 나 와 보이는 정도의 모양을 기준으로 앞광대 부분을 살려주는 것이 적당하다. 광대 부분의 조직 층은 피부, superficial malar fat pad, 안륜근, suborbicularis oculi fat (SOOF)을 포함하는 deep malar fat pad, 광대근등의 상순검거근들이 시작되는 표정근육층, preperiosteal fat, 뼈막층으로 나눌 수 있는데 광대중심점을 도드라지게 보이도록 해주는 apple cheek을 시술 할 때는 뼈막층 위의 preperiosteal fat이 있는 공간인 prezygomatic space에 필러를 주입하 는 것이 좋다. Apple cheek보다는 좀 더 내측에 있는 앞광대의 상악 부위를 도톰하게 살려줄 때는 SMAS 아래에 있으며 광대근육 등의 안면표정근 위에 있는 deep malar fat pad에 필러 를 주입해 교정하는 게 좋은데, 표정을 짓거나 웃을 때도 자연스러워 보이도록 되도록 bolus 로 주입하지 말고 지방층 안에 퍼지도록 주입하는 것이 좋다. 광대나 볼 같이 깊숙이 주입해 야 하는 부위들은 시술 전후 위생이 특히 중요하며 환자들에게 시술 후 적어도 6시간은 화장 을 하지 않도록 교육하는 게 좋다(Figure 4-1-6).

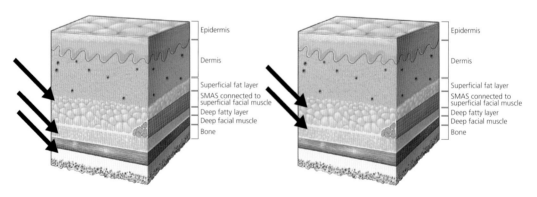

Figure 4-1-6. Cheeks : Injection plane

2. 시술 방법

Anteromedial cheek hollow (midcheek hollow)가 있을 경우 교정 방법은 먼저 한국인에 적합한 광대중심점을 위에서 언급한 apple cheek의 모양 기준에 맞춰 정하고 여기에 따라 살려줘야 할 부위를 디자인 한 후 니들을 사용하든 카뉼라를 사용하든 디자인한 부위의 바깥쪽 아래 부분부터 진입하여 시술하는 게 좋다. 니들을 사용할 경우 눈밑 뼈 안에서부터 나오는 infraorbital artery & nerve와 zygomaticofacial artery & nerve의 손상을 조심해야 한다. 또한 앞광대 내측관련 시술 시 안와하능선 시술에서 설명한 것처럼 nasojugal groove를 따라 주행하는 facial vein, 동양인의 30%에서 볼 수 있다는 infraorbital branch of duplex facial artery 등에 대한 손상의 가능성도 염두에 두어야 한다. 카뉼라를 사용하는 경우 lateral orbital rim에서 수직선을 긋고 alar groove의 중간 지점에서 수평선을 그어서 이 두 선이 만나는 점 근처를 진입 포인트로 잡아 시술하면 위에서 언급한 혈관들의 손상을 염려하지 않고 시술할 수 있다(Figure 4-1-7).

시술층은 광대 부위 뼈 자체가 빈약하여 뼈막 위에서부터 단단한 필러로 볼륨을 살려줘야 될 경우 앞에서 말한 prezygomatic space에 필러를 주입해야 하나 한국인의 경우 대부분 광대

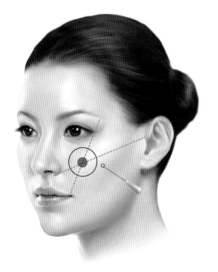

Top of apple cheek mound
- Line from lateral canthus to mouth commissure
- Line from root of helix to nasal alar base

Mid-cheek hollow injection entry point
1) Lateral and inferior to area requiring volume
2) Lateral part of mid-cheek on the vertical line of the lateral orbital rim and horizontal line of mid-alar groove

Mid-cheek hollow injection technique
1) Retrograde fanning, crossing technique
2) Vertical bolus and layering technique
   - Perlane or subQ 0.7-1cc for each area of mid-cheek hollow or mid-cheek groove : 27 G or 23 G cannula or needle
   - Restylane lidocaine 0.3-0.5 cc each area for subdermal injection to smooth out the surface

Figure 4-1-7. Anteromedial cheek hollow : Injection point and techniques

뼈 자체가 많이 꺼져 있는 경우는 드물어서 보통은 상순검거근층 위에 있는 SOOF를 포함한 deep malar fat pad를 살려주는 것이 좋다. retrograde fanning, cross hatching, layering tech.을 이용하여 시술에 사용하지 않는 손으로 볼지방패드를 잡고 만들고자 하는 mound의 정점 부분을 중심으로 볼륨업시킨 후 그 주변부를 따라 적당히 볼륨을 살려주면 되는데 볼륨을 살린 후 약간 꺼져 보이는 부분이 있거나 살려준 부위와 아닌 부위의 경계 부위가 표시나는 부분은 부드러운 필러를 진피하에 얕게 tenting tech.으로 주입하여 표면을 매끄럽게 해준다(Figure 4-1-8).

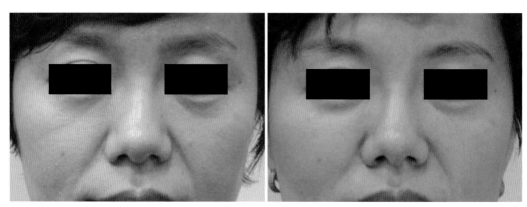

Figure 4-1-8. 인디언 밴드및 앞광대 시술 전후

참고문헌

1. Mendelson BC, Jacobson. Surgical anatomy of the midcheek: facial layers, spaces, and the mid cheek segments. Clin Plastic Surg. 35:395, 2008.

2. Kpodzo DS, Nahai F, McCord CD, et al. Malar mounds and festoons: review of current management, Aesthetic Surgery Journal, 34(2):235, 2014.

3. Mendelson BC, et al. Surgical anatomy of the midcheek and malar mounds. Plast Reconstr Surg. 110:885-96; discussion 897, 2002.

4. Rohrich RJ, et al. The youthful cheek and the deep medial fat compartment. Plast Reconstr Surg. 121:2107-12, 2008.

김현조

1. 디자인

Zygomatic Bone 내측, Nasal Dorsum 외측 그리고 Nasolabial Fold 상방의 부위를 일반적으로 앞광대라 부르고 있지만, 이는 정확한 해부학 용어가 아니므로 Anteromedial Cheeks 라 명명하는 것이 좀 더 적절하다 할 수 있겠다(Figure 4-1-9).

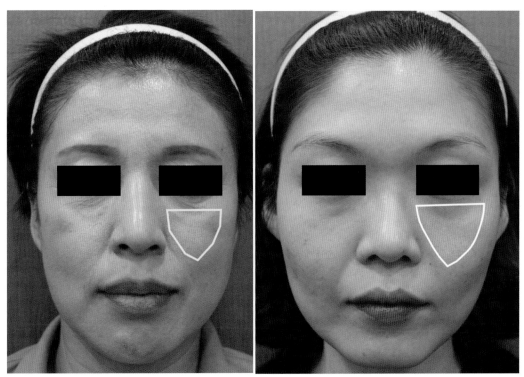

Figure 4-1-9. Anteromedial Cheeks

2. 마취

리도케인이 함유된 필러를 사용하는 경우 통증이 적어 EMLA 마취로 충분하기도 하나, 환자의 편의를 위해 Infraorbital Nerve Block과 연고 마취를 동시에 시행한다. Infraorbital Nerve Block을 하는 경우 3시간 정도는 구강 내 화상 방지를 위해 뜨거운 음료나 음식을 섭취하지 말 것을 설명하여야 한다.

3. 시술법

1) Needle vs Blunt Tip Microcannula

두 방법 모두 가능하나 Vascualr Compromise의 가능성을 최소화하기 위해, 필자는 Blunt Tip Microcannula를 이용한 시술을 선호한다.

자입점은 Infraorbital Artery와 Zygomatico Facial Artery 사이 혈관이 없는 부위에(Figure 4-1-10) 23게이지 Needle을 이용하여 Puncture 후 23게이지 Blunt Tip Microcannula를

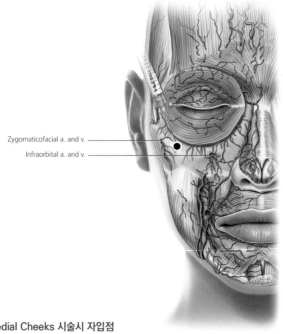

Zygomaticofacial a. and v.
Infraorbital a. and v.

Figure 4-1-10. Anteromedial Cheeks 시술시 자입점

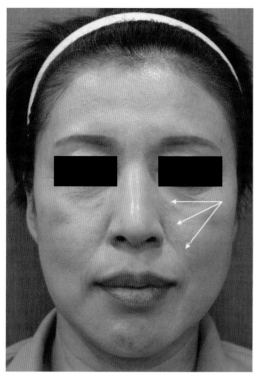
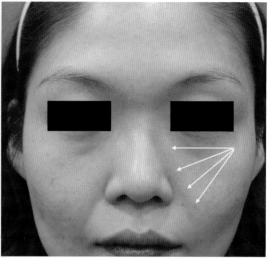

Figure 4-1-11.
캐뉼라를 이용한 Anteromdial Cheeks 필러 시술 방법

Periosteum Level로 삽입하여 Figure 4-1-11과 같이 전반적으로 필러를 주입한다.

2) 주입 볼륨

개인마다 다른 골격구조로 인해 필요한 볼륨의 차이가 있으나 평균적으로 편측당 1-2 cc의 필러가 주입된다.

3) 경과 및 전후 사진

Anteromedial Cheeks과 함께 Tear Trough Deformity를 교정한 증례이다(Figure 4-1-12).

Anteromedial Cheeks과 함께 Nasolabial folds, Forehead augmentation, Chin augmentation을 교정한 증례이다(Figure 4-1-13).

Midface Aging Signs은 한 가지 변화만 독립적으로 나타나기 보다는, 여러 변화가 유기적으로 상관관계를 보이며 발생하는 것이 일반적이므로, 동반된 Aging Sign을 함께 교정해 주어야 환자의 만족도가 상승하게 된다.

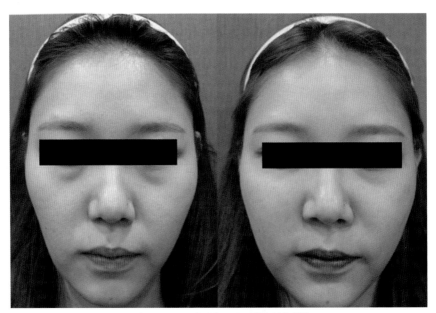

Figure 4-1-12. Tear Trough Deformity & Anteromedial Cheeks 필러 시술 전후

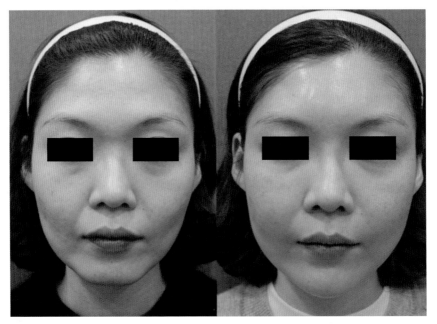

Figure 4-1-13. Tear Trough Deformity, Anteromedial Cheeks & Nasolabial folds 필러 시술 전후

4) 시술 시 주의 사항

Facial Artery의 전형적인 주행을 따르지 않는 Infraorbital Trunk Type (Detoured Branch)의 경우(Figure 4-1-14) Anteromedial Cheeks을 가로질러 주행하기 때문에 주의해야 한다.

Infraorbital Trunk의 경우 대부분 Subcutaneous Level로 주행하기 때문에 이 부위 시술 시 근육 하방, 되도록 Periosteum Level로 Blunt Tip Microcannula를 삽입하여 필러를 주입하는 것이 상대적으로 안전하다.

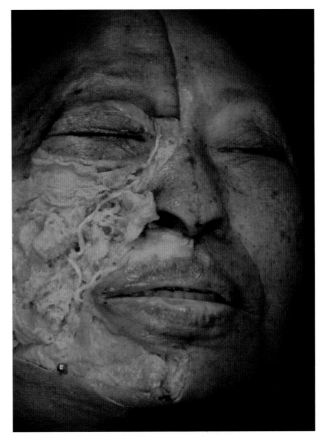

Figure 4-1-14. Detoured Branch of Facial Artery

참고문헌

1. 보툴리눔 필러 임상해부학 김희진,서구일, 이홍기,김지수 한미의학 2015

2. Newer Understanding of Specific Anatomic Targets in the Aging Face as Applied to Injectables: Aging Changes in the Craniofacial Skeleton and Facial Ligaments. Wong CH, Mendelson B. Plast Reconstr Surg. 2015 Nov;136(5 Suppl):44S-48S

3. New anatomical insights on the course and branching patterns of the facial artery: clinical implications of injectable treatments to the nasolabial fold and nasojugal groove. Yang HM, Lee JG, Hu KS, Gil YC, Choi YJ, Lee HK, Kim HJ. Plast Reconstr Surg. 2014 May; 133(5):1077-82.

4. Gerhard Sattler, Boris Sommer 역자: 최성덕, 김수찬. 필러 아틀라스. 한솔의학서적 2012.

Anteromedial cheek 시술 한 눈에 비교하기

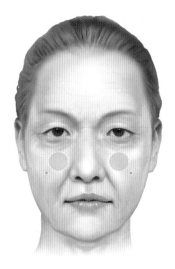

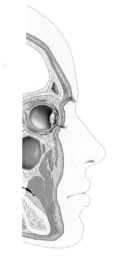

김의식-Anteromedial cheek

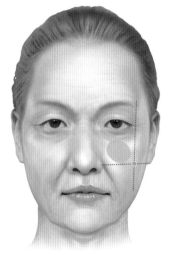

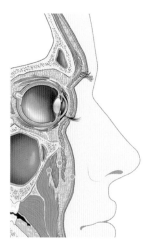

홍기웅-Anteromedial cheek

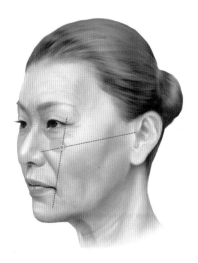
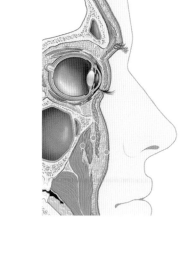

홍기웅-Anteromedial cheek

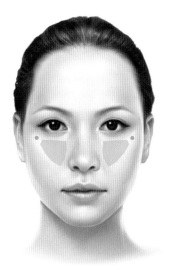
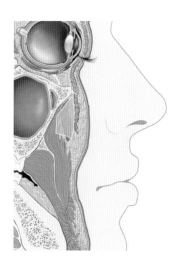

김현조-Anteromedial cheek

	김의식	홍기웅	김현조
주사기/캐뉼라	캐뉼라 23 G	Deep injection : 캐뉼라 21 G 혹은 니들 23 G 사용 Superficial injection : 니들 30 G 사용	캐뉼라 23 G
한쪽당 주입량	0.5-1 cc	1-1.5 cc	1.5-2 cc
필러 강도(G*) 선택 : 더채움필러 No.1,2,3,4 [판매사: 휴젤(주)] 기준	얕게 놓을땐 넘버 2 깊게 놓을땐 넘버 3	단단한 필러 : 넘버 3 혹은 4 부드러운 필러 : 넘버 1 혹은 2	넘버 2
마취방법	마취연고 후 자입점만 국소마취	캐뉼라 사용 시 : 마취연고 후 진입포인트만 국소리도케인 주사 니들 사용 시 : 마취연고	신경리도케인 +마취연고
주입 테크닉	Retrograde fanning	Deep injection : retrograde fanning and crossing technique, vertical bolus and layering technique Superficial injection : lenear threading and droplet injection, tenting technique	Fan Technique의 변형인 Windmill Technique
주입층	Layer 2(sub Q) 심하면+layer4 (SOOF, DMCF)	Deep injection : 안륜근 근육밑의 SOOF과 deep medial cheek fat 층, prezygomatic space Superficial injection : subdermal & superficial subcutaneous layer - 깊은 곳을 채운 후 표면을 매끈하게 마무리하기 위하여	Periosteum or Submuscular Layer

Buccal cheek

김현조

1. 디자인

Deep Medial Cheek Fat (DMCF)와 함께 Buccal Fat Pad는 상방의 Superficial Fat을 지지
해주는 역할을 해준다. Buccal Fat의 감소와 하강은 대표적인 노화의 sign인 Sunken Cheek
을 유발하여 나이들어 보이는 외모의 원인이 된다.

Deep Medial Cheek Fat (DMCF)이 팔자주름 상방 뺨의 볼륨감을 담당한다면 Buccal Fat
Pad는 Mouth Angle과 Masseter muscle의 중간 정도의 볼륨감을 담당한다(Figure 4-2-1).

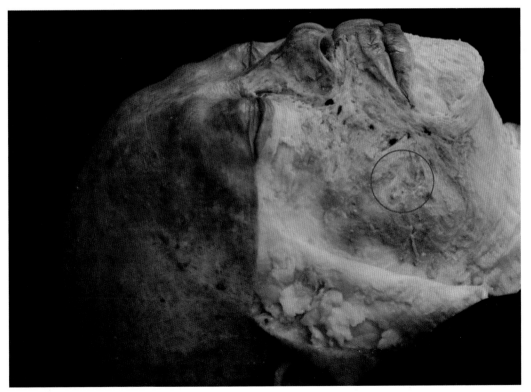

Figure 4-2-1. Buccal Fat pad

2. 마취

리도케인이 함유된 필러를 사용하는 경우 연고 마취로 충분하다.

3. 시술법

1) Needle vs Blunt Tip Microcannula

두 방법 모두 가능하나 필자는 Needle을 이용하여 주입하는 것을 선호하는데, 자입점은 가장 볼륨감이 꺼진 부위에 수직으로 자입을 하여 Tower Technique을 이용하여 Deep fat인 Buccal Fat부터 Superficial Fat까지 순차적으로 채워주는 방식으로 필러를 주입한다.

2) 주입 볼륨

Deep Fat과 Superficial Fat을 함께 채워주어야 하므로 상대적으로 많은 양의 필러가 필요하다. 평균적으로 편측 당 2-4 cc의 필러가 주입된다.

3) 경과 및 전후 사진

Sunken Cheeks 교정을 위해 Buccal Cheek 부위에서 Deep Fat과 Superficial Fat에 필러를 주입하여 교정한 증례이다(Figure 4-2-2).

4) 시술 시 주의 사항

일반적으로 Parotid Duct가 Tragus에서 Mouth angle 방향으로 주행하므로 이의 손상을 피하기 위해 시술 전 Marking을 한 후, 되도록 그 Line으로는 자입점을 만들지 않는 것이 권장된다. 이 부위는 Facial artery가 일반적으로 주행하지 않는 부위이지만, 변이가 있을 수도 있으므로 항상 Vascular Compromise를 염두에 두고 필러 시술을 해야 한다.

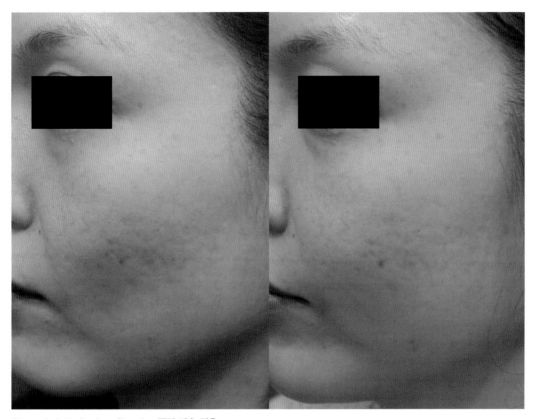

Figure 4-2-2. Sunken Cheeks 필러 시술 전후

참고문헌

1. 보톡스와 필러의 정석 이수근 한미의학 2011

2. Aging changes of the midfacial fat compartments: a computed tomographic study. Gierloff M, Stöhring C, Buder T, Gassling V, Açil Y, Wiltfang J. Plast Reconstr Surg. 2012 Jan;129(1):263-73

3. The anatomy and clinical implications of perioral submuscular fat. Rohrich RJ, Pessa JE. Plast Reconstr Surg. 2009 Jul;124(1):266-71

윤춘식

발생 원인

1) Superficial fat & Deep fat의 감소와 이동

suferficial fat과 deep fat (Buccal fat)의 볼륨 감소와 하방 이동에 의해 buccal area의 볼륨 감소가 발생한다.

2) Bone loss

soft tissue를 supporting하는 Zygoma와 Maxilla의 볼륨감소가 buccal area의 꺼짐을 악화 시킨다.

3) Retaining tissue의 loosening

Skin, fat, muscle을 유지하고 있는 retaining tissue의 loosening에 의해 buccal area의 꺼 짐이 악화된다.

1. Design & Surface anatomy

Buccal cheek이라 함은 Malar (Zygomatic angle)와 Jowl fat 사이 볼륨감소 부위를 의미하 며, 해부학적으로는 Buccal fat과 Modiolus의 전방부위를 의미한다(Figure 4-2-3).

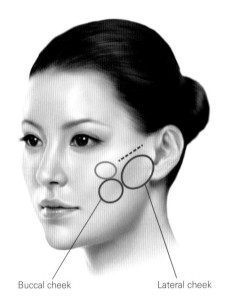

Buccal cheek   Lateral cheek

Figure 4-2-3. Buccal cheek: Surface anatomy

2. 마취

1) EMLA 마취

Buccal cheek 부위는 통증이 심하지는 않은 부위라서 EMLA마취 후 시술해도 큰 통증을 호소하지는 않는다. 저자의 경우 Needle을 이용해서 필러 주입 시에는 EMLA마취만 한 후 시술하고 있다.

2) Lidocaine 마취

필러 시술 시 통증은 시술 시 통증과 시술 후 통증으로 구분할 수 있으며, 실제 시술 시 통증도 중요하지만 시술 후 통증도 상당하기에 볼 부위 필러 시술 시 lidocaine을 이용한 국소마취를 추가로 해주는 것이 환자 통증면에서는 편리하다.

저자의 경우는 Cannula를 이용해서 필리 주입 시에만 cannula를 이용해서 시술 부위 lidocaine마취를 시행하고 있다

3. 시술법

1) Needle

저자의 경우에는 피하지방층(Layer 2)을 목표로 해서 주입한다(목표가 되는 지방은 Medial cheek fat과 Middle cheek)(Figure 4-2-4). 보통 등고선으로 표시한 주입할 영역의 가장 깊은 곳을 1cm 간격으로 vertical injection technique을 이용해서 주입한다.

보통 한 포인트당 깊이에 따라 다르지만, 깊으면 0.4 cc를 얕으면 0.1 cc를 주입한다(Figure 4-2-5).

주입 깊이는 지방층의 깊은 부분에 주입하며 미세 교정을 위해서는 지방층의 얕은 층에 주입한다(Figure 4-2-6).

*Buccal area의 해부학적 위치는 Masseter muscle의 앞쪽, Maxiila와 zygoma의 아래쪽 부위를 말한다.

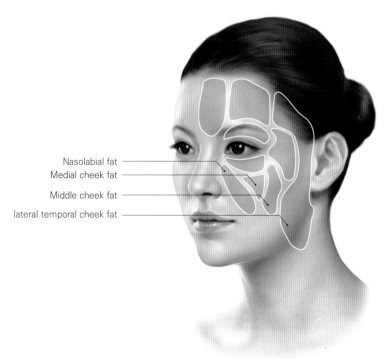

Figure 4-2-4. Fat compartment: superficial fat

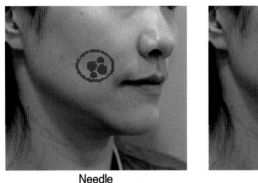

Needle　　　　　　　　　　Cannula

Figure 4-2-5. Design & Injection technique

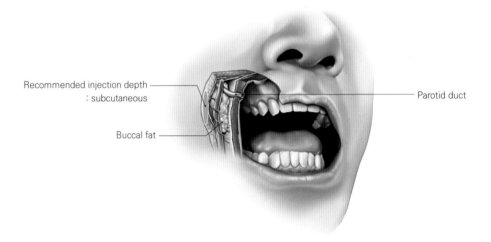

Figure 4-2-6. Injection depth

2) Cannula

피하지방층을 목표로 해서 주입한다. 보통 등고선으로 표시한 주입할 영역의 시작 포인트 상방에 Entry point를 잡고 가장 깊이 주입할 부분을 liner threading technique으로 주입하고 위, 아래 부분을 차례로 fan technique을 구사해서 주입한다(Figure 4-2-5).

주입 깊이는 지방층의 깊은 부분에 주입하며(Figure 4-2-6), 주입 시 cannula가 부드럽게 일정한 깊이로 주행하도록 하는 것이 시술 후 irregularity를 줄이는 데 중요하다.

4. 주입 볼륨

깊이와 면적에 따라 다르지만 평균 0.5~1.5 cc/side를 주입한다.

5. 경과 및 시술 전후 사진

1) Buccal cheek 필러 교정 전후

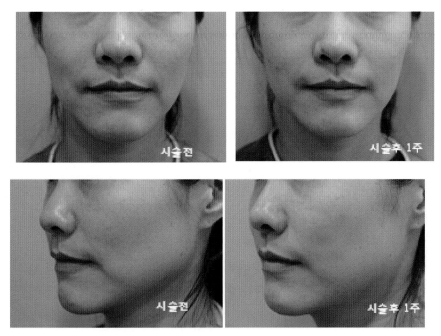

Figure 4-2-7. (좌) 시술 전, (우) 시술 후 1주일 측면
Buccal cheek: Belotero volume, 1 cc/side, cannula

2) Buccal cheek + Lateral cheek 필러 교정 후 경과 및 결과

Buccal cheek depression의 경우, lateral cheek depression과 동반된 경우가 많으며, 이런 경우 Buccal cheek뿐만 아니라, lateral cheek depression을 같이 해결해 주어야 한다. Buccal cheek만 교정한 사진보다, Lateral cheek 교정하고 난 후 사진을 보면 좀 더 얼굴 라인이 부드럽게 잘 연결된 것을 볼 수 있다(Figure 4-2-8).

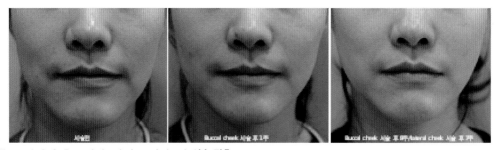

Figure 4-2-8. Buccal cheek, lateral cheek 시술 전후
Buccal cheek: Belotero volume, 1 cc/side, cannula, Lateral cheek: Belotero volume, 1 cc/side, cannula

6. 시술 시 주의 사항

Buccal cheek은 Skin과 SMAS layer 사이에 fibrotic band가 적기에 볼륨을 만들기 좋은 부위이다. 하지만, SMAS layer 밑의 buccal fat pad에 필러 주입이 되면

(1) Buccal fat의 하방 이동을 더 조장해서 오히려 Jowl이나 Marionette line이 심해져 보일수 있다.

(2) Buccal space 안에 있는 parotid duct 나 facial nerve에 손상을 줄 수 있다(Figure 4-2-9).

(3) Layer 2 (SubQ) 대비 필러 주입 용량이 더 많아야 꺼진 부분이 올라오기 때문에 필러의양이 더 많이 들어간다.

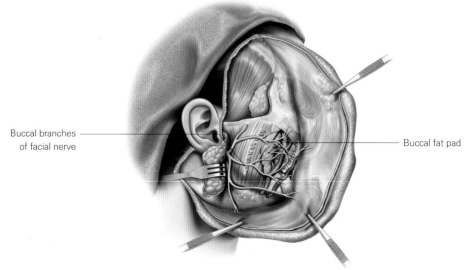

Buccal branches
of facial nerve

Buccal fat pad

Figure 4-2-9. Buccal space

Buccal cheek

김의식

앞볼 꺼짐 Buccal cheek hollowness

1. 디자인

일반적으로 볼 꺼짐을 이야기할 때 제일 많이 가리키는 부위로, masseter의 앞쪽, maxilla와 zygoma의 아래쪽 함몰을 가리킨다. 동양인은 예로부터 적절히 통통한 볼살을 동안의 상징처럼 여겨왔기 때문에, 이곳의 함몰은 수척하고, 빈약하고, 우울해 보이기까지 하다. 노화가 진행될수록 심부 지방인 buccal fat의 양이 감소하고, 하강하여, 앞볼 꺼짐이 더욱 더 두드러져 보인다. 누워 있을 때와 서 있을 때의 함몰 부위 및 정도가 다르므로, Sitting position에서 디자인하고, 시술한다.

2. 마취

목표 지점의 윤곽을 방해할 우려 때문에, 주사 위치(Entry point)에만 소량의 국소 마취를 시행한다.

3. 시술법

보강해야 할 앞볼의 해부학적구조는 얕은 층에서 깊은 층으로 피부-표층 지방층-mimetic muscle & SMAS--buccal fat-buccinator-구강점막으로 이루어져 있어, 다른 부위와 달리 뼈의 지지 없이 오로지 연부조직으로만 바닥이 지지되는 구조를 갖는다(Figure 4-2-10).
주사 위치는 함몰 부위의 하부로 하되, modiolus의 superolateral에 위치한 facial artery

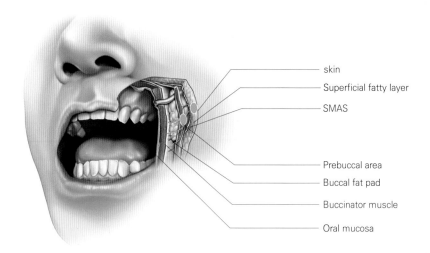

Figure 4-2-10. Anatomical 5 layers of buccal cheek area

winding portion의 pulsation을 느끼고, 이를 피해야 하며, 실수로 이곳을 찌른다면, 많은
출혈과 지속되는 멍을 경험하게 된다(Figure 4-2-11).

주사 깊이는 함몰이 적은 경우 니들 또는 캐눌라를 이용하여 retrograde radial fanning기법
으로 피부 밑 표층지방층에만 적당량의 필러를 주입한다. 함몰이 심하다면, 피하지방층의 보

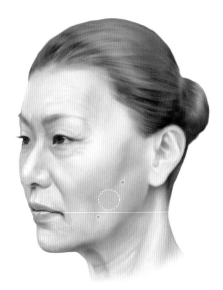

Figure 4-2-11. Entry point for buccal cheek hollowness correction

강만으로는 한계가 있기 때문에, dual plane을 고려하여, 캐뉼라가 깊은 쪽에 있을수록 tip이 잘 안보이고 상부조직이 들리지 않는 것을 가이드로 삼아서, 먼저 단단한 필러로 buccal capsule (fascia) 위의 prebuccal area를 찾아 위쪽 뼈에 붙여 주입하는 느낌으로 서서히 주입한 후, 이어서 2번층 SQ을 보강하고, 추가로 표면을 매끄럽게 하려면 부드러운 필러로 진피층에 주입도 가능하다.

Buccal fat은 Z.MAJOR와 RISORIUS의 삼각경계에 위치하여, 노화에 따라 부피가 감소하여 buccal cheek hollow를 보인다. 그래서, 원인에 비추어보면 이곳에 필러를 주입해야 마땅하나, 다음과 같은 이유로 추천하지 않는다. 첫째, 안쪽은 oral mucosa로 buccal fat의 볼륨을 증가시킨다 하더라도 표면뿐만 아니라 입 안쪽으로도 작용하여 효과가 미미하며, 둘째, buccal space 내의 과다한 볼륨 확대는 치밀하지 못한 조직 때문에 중력에 의한 하강으로 jowl을 악화시킬 수 있고, 셋째, buccal fat 내부에는 parotid duct나 facial nerve 같은 위험한 구조물이 존재하고 있고, 넷째, 많은 양의 필러가 소요되어 경제적이지 못하다.

만약, 앞광대부분의 함몰 교정이 필요한 경우라면, 앞광대를 먼저 시행한 후 앞볼의 교정 양을 정하는 것이 좋다. 앞볼 꺼짐의 교정량이 과해지면, 둥근 모양의 얼굴이 되어 미용적으로 만족스럽지 못하기 때문이다.

홍기웅

1. 시술 전 고려사항

앞볼이라고 하는 buccal area는 피부, 피하지방층, 얕게 주행하는 표정근육 및 SMAS, buccal fat pad, 깊은 근육층, 구강점막으로 층이 나누어지는데 시술층은 보통의 경우 피부 밑 지방층이나 SMAS 아래 층이 좋으며 buccal fat pad 내에 주입 시 너무 많은 필러가 들어가게 되고 이 부위는 조직 자체가 치밀하지 못하여 들어간 필러가 밑으로 처지는 현상이 발생할 수 있으므로 주의를 요한다.

2. 시술 방법

피하층이나 피하 밑 지방층에 시술할 때, buccal cheek hollow가 있는 부위를 표시한 후 진입 포인트를 살리고자 하는 부위의 아랫면으로 잡아 니들이나 카뉼라를 이용하여 아래에서 위쪽으로 retrograde panning, cross hatching tech.을 이용해 주입하며 적당히 볼륨을 살려준 후 표면을 매끈하게 하기 위해 필요하면 부드러운 필러로 진피층을 포함한 진피하 주사를 한다(Figure 4-2-12).

앞볼 부분이 심하게 꺼져서 좀 더 많은 볼륨을 살려줘야 될 경우 SMAS층을 뚫고 아래로 주입해야 하므로 혈관이나 안면신경에 손상을 주지않도록 카뉼라를 이용하는 게 좋으며 진입 포인트는 귀의 tragus에서 앞으로 4 cm, 관골궁의 inferior border에서 밑으로 2 cm 정도 되는 부위를 니들 puncture한 후 카뉼라를 삽입한다. Buccal area 주변의 단단한 SMAS층을 뚫으면 아래의 buccal fat pad를 싸고 있는 capsule 바깥쪽의 헐렁한 공간인 prebuccal space를 느낄 수 있으며, 이 층에 적당한 양의 필러를 주입한 후 다시 위에 있는 피부 밑 지방층의 볼륨을 살려 마무리를 짓는 것이 좋다.

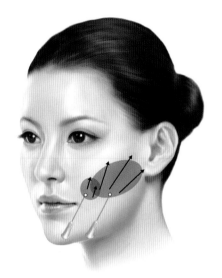

Buccal and lateral cheek hollow injection
entry point for superficial injection
– Inferior to buccal and submalar area for
  superficial fat injection

Buccal and lateral cheek hollow injection
technique
• Retrograde horizontal fanning
  – Perlane 0.7–1cc for superficial fat
    injection
    : 27 G cannula or nano needle
      – Restylane lidocaine 0.3–0.5 cc each
        area for subdermal injection to
        smooth out the surface

Figure 4-2-12. Mild buccal cheek hollow : Injection point and techniques

참고문헌

1. Pessa JE, Rohrich RJ. Facial Topography: Clinical Anatomy of the Face. St. Louis: Quality Medical; 2012:266-268.

2. Yousuf S, et al. A review of the gross anatomy, functions, pathology, and clinical uses of the buccal fat pad. Surg Radiol Anat. 32:427-36,2013.

3. Zhang HM, et al. Anatomical structure of the buccal fat pad and its clinical adaptations. Plast Reconstr Surg. 109:2509-18; discussion 2519, 2002.

4. Rohrich RJ, Pessa JE. The fat compartments of the face: anatomy and clinical implications for cosmetic surgery. Plast Reconstr Surg. 119:2219, 2007.

Buccal Cheek 시술 한 눈에 비교하기

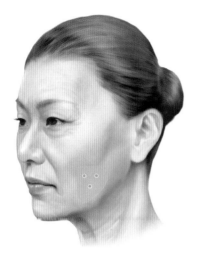

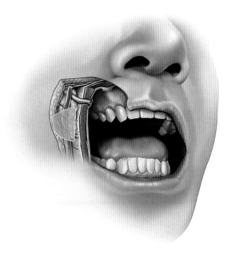

김현조-Buccal Cheek

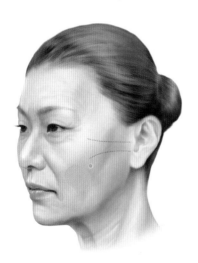

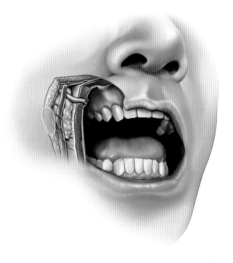

윤춘식-Buccal Cheek

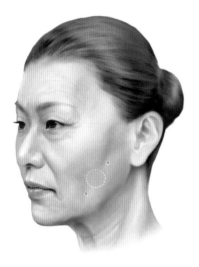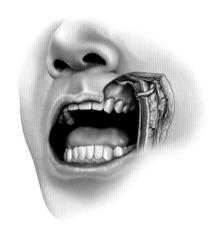

김의식-Buccal Cheek

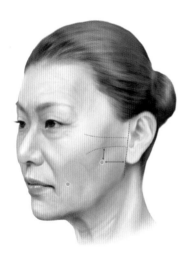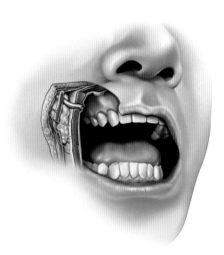

홍기웅-Buccal Cheek

	김현조	윤춘식	김의식	홍기웅
주사기/캐뉼라	주사기 13 mm 27 G	캐뉼라 23 G	캐뉼라 23 G	깊은 꺼짐 : 캐뉼라 23 G 얕은 꺼짐 시 : 니들 30 G 사용
한쪽당 주입량	2-3 cc	0.5-1.5 cc	0.5-1.5 cc	깊은 꺼짐 : 단단한 필러 0.7-1 cc 얕은 꺼짐 : 부드러운 필러 0.3-0.5 cc
필러 강도(G*) 선택 : 더채움필러 No.1,2,3,4 [판매사: 휴젤(주)] 기준	넘버 2 or 3	넘버 4	얕게 놓을때 넘버 2 깊게 놓을땐 넘버 3	단단한 필러 : 넘버 3 부드러운 필러 : 넘버 2
마취방법	마취연고	마취연고	마취연고 후 자입점만 국소마취	캐뉼라 사용 시 : 마취연고 후 진입포인트 만 국소리도케인 주사 니들 사용 시 : 마취연고
주입 테크닉	Tower Technique (Bolus Inejction)	Fan + linear threading technique	Retrograde fanning	깊은 꺼짐 : retrograde horizontal fanning and crossing technique, layering technique 얕은 꺼짐 : lenear threading and fanning technique
주입층	Deep Fat (Layer 4) and Superficial Fat (Layer 2)	subcutaneous	Layer 2 (subQ) 심하면 + Layer 4 (prebuccal area) 더 심하면 + buccal fat	깊은 꺼짐 : SMAS와 buccal fat capsule 사이의 prebuccal space 얕은 꺼짐 : subcutaneous fat layer

김현조

1. 디자인

Zygomatic Arch 하방, 즉 Submalar Area의 볼륨 감소는 나이 들어 보이게 하는 외모를 유발한다. 볼륨이 감소된 부위를 등고선 양상으로 표시를 한다.

2. 마취

리도카인이 함유된 필러를 사용하는 경우 연고마취로 충분하다. 다만 자입점만 소량의 리도카인을 이용하여 미리 마취해주면 환자의 불편함을 덜어줄 수 있다.

3. 시술법

1) Needle vs Blunt Tip Microcannula

두 방법 모두 가능하나 필자는 blunt Tip Microcannula를 선호한다. 이 부위는 Deep Fat까지 채울 필요 없이 Superficial Fat Compartment인 Lateral Temporal-Cheek Fat만 채워주어도 볼륨감이 회복되기 때문이다. 자입점은 Lateral Canthus와 Zygomatic Bone을 있는 선상에서 Ala Nasi 약간 하방으로 정하여 Fanning Technique을 이용하여 주입한다(Figure 4-3-1).

2) 주입 볼륨

Deep Fat을 채우지 않고 Superficial Fat만 채워주어도 효과적이므로 편측당 1-2 cc의 필러가 주입이 된다.

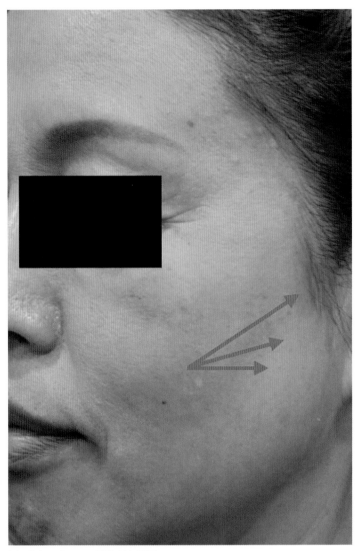

Figure 4-3-1. Sunken Submalar area 필러 시술 방법

3) 경과 및 전후 사진

Sunken Submalar area에 필러를 주입하여 교정한 증례이다(Figure 4-3-2).

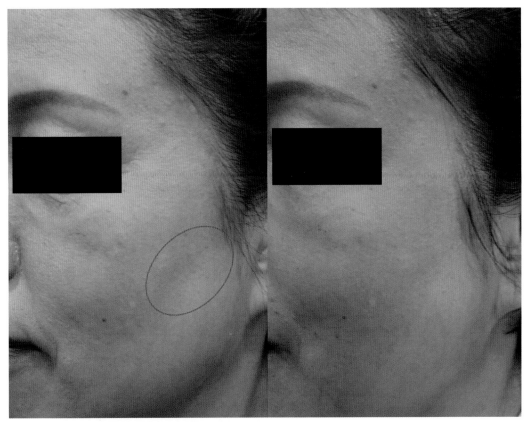

Figure 4-3-2. Sunken Submalar area 필러 시술 전후

4) 시술 시 주의 사항

Tragus 주변에서 자입점을 잡을 수도 있으나, 이 때는 Superficial Temporal Artery의 손상을 유의하여야 한다. 이 부위는 Transverse Facial Artery가 주행하는 부위이므로, 시술 전 촉진을 하여 Artery의 Pulse 유무를 확인 후 시술 하는 것이 Vascular Compromise를 예방하는 데 도움이 될 수 있다. 이를 염두에 두고 시술을 하여야 하겠다(Figure 4-3-3).

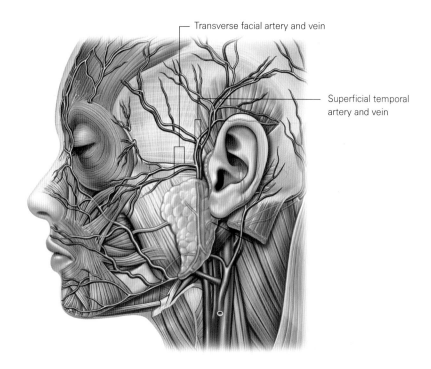

Transverse facial artery and vein

Superficial temporal artery and vein

Figure 4-3-3. Sunken Submalar area 필러 시술 시 주의해야 할 혈관

참고문헌

1. Gerhard Sattler, Boris Sommer 역자: 최성덕, 김수찬. 필러 아틀라스. 한솔의학서적 2012

2. The clinical importance of the fat compartments in midfacial aging. Wan D, Amirlak B, Rohrich R, Davis K. Plast Reconstr Surg Glob Open. 2014 Jan 6;1(9):e92

3. The fat compartments of the face: anatomy and clinical implications for cosmetic surgery. Rohrich RJ, Pessa JE. Plast Reconstr Surg. 2007;119:2219-2227; discussion 2228-2231.

윤춘식

발생 원인

1) Buccal fat의 감소와 안쪽, 뒤쪽으로의 하방이동에 의해 zygomatic arch 하방의 볼륨감소가 발생하게 된다.

2) Masseter muscle, Superficial fat의 소실과 하방 이동에 의해 발생하게 된다.

1. Design & Surface anatomy

Zygomatic arch와 lower face의 upper boarder 사이에 들어가 있는 부분을 말하며, 해부학적으로는 이하선과, 일부 저작근 부위로, 등고선을 그려 주입할 부분을 표시한다(Figure 4-3-4).

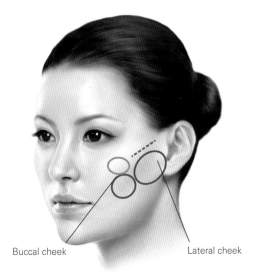

Buccal cheek   Lateral cheek

Figure 4-3-4. Design & Surface anatomy

2. 마취

1) EMLA 마취
볼 부위는 마취 연고만으로 시술하기는 통증이 심하기에 추가 주입마취는 하는 것이 좋다. 하지만, 최근에는 lidocaine이 믹스되어 있는 필러 제품들이 나오기에 이런 경우는 마취연고만 바르고 시술할 수도 있다.

2) Lidocaine 마취
필러 시술 시 통증은 시술 시 통증과 시술 후 통증으로 구분할 수 있으며 실제 시술 시 통증도 중요하지만, 시술 후 통증도 상당하기에 Lateral cheek 부위 필러를 할 때 lidocaine을 이용한 국소마취를 추가로 해주는 것이 환자 통증 면에서 편리하다. 저자의 경우 보통 Cannula를 이용해서 필러 주입하기에, 필러 주입 전에 주입할 부분에 Cannula를 이용해서 lidocaine마취를 시행한다.

3. 시술법

1) Needle or cannula
(1) Needle

저자의 경우에는 피하지방층(Layer 2)을 목표로 해서 주입한다(목표가 되는 지방은 Middle cheek fat과 lateral temporal cheek fat이다)(Figure 4-3-5). 보통 등고선으로 표시한 주입할 영역의 가장 깊은 곳을 1 cm 간격으로 vertical injection technique을 이용해서 주입한다. 보통 한 포인트당 깊이에 따라 다르지만, 깊으면 0.4 cc를 얕으면 0.1 cc를 주입한다. 주입 깊이는 지방층의 깊은 부분에 주입하며 미세 교정을 위해서는 지방층의 얕은 층에 주입한다(Figure 4-3-6).

(2) Cannula

피하지방층을 목표로 해서 주입한다. 보통 등고선으로 표시한 주입할 영역의 시작 포인트 상방에 Entry point를 잡고 가장 깊이 주입할 부분을 liner threading technique으로 주

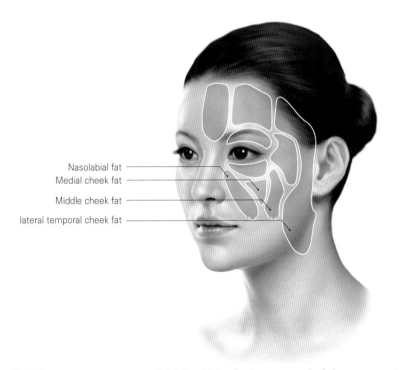

Nasolabial fat
Medial cheek fat
Middle cheek fat
lateral temporal cheek fat

Figure 4-3-5. Fat compartment: superficial fat: Malar fat is composed of three compartments: medical, middle, and lateral temporal-cheek.

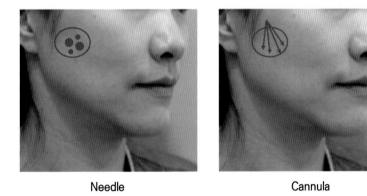

Needle   Cannula

Figure 4-3-6. Technique.

* 저작근 뒤쪽, 관골 아래의 볼꺼짐을 lateral cheek depression이라 부른다. 일반적으로 Lateral cheek 부위
  에는 fibrotic band가 밀집되어 있기에 주입 시, 저항이 많이 느껴지고 주입 후 울퉁불퉁하게 들어갈 가능성이
  높은 부위이다.

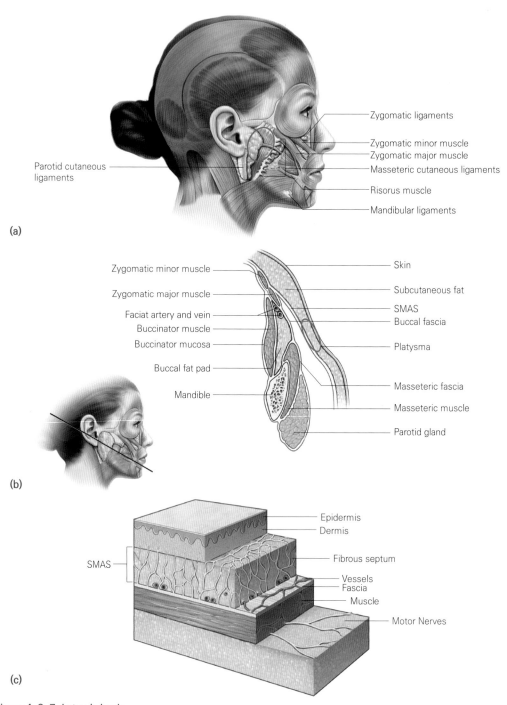

(a)

(b)

(c)

Figure 4-3-7. Lateral cheek

입하고 위, 아래 부분을 차례로 fan technique을 구사해서 주입한다(Figure 4-3-6).

주입 깊이는 지방층의 깊은 부분에 주입하며, 주입 시 cannula가 부드럽게 일정한 깊이로 주행하도록 하는 것이 시술 후 irregularity를 줄이는 데 중요하다.

* 저자의 개인적인 경험에 의하면 Needle은 짧은 시간 동안 더 정확하게, 적은 용량으로 많은 볼륨감을 얻어낼 수 있다는 장점이 있고 멍, 부기가 Cannula대비 더 많이 발생하는 것이 단점이다. 반대로 Cannula는 멍, 부기가 적고 필러가 좀 더 균일하게 주입되어 주입 후 울퉁불퉁한 현상이 적은 장점에 반해 시술시간이 길고, 볼륨감이 Needle 주입에 비해 적어 정교함이 떨어진다는 단점이 있다. 따라서, 저자는 피부가 얇거나 다운타임이 적어야 할 케이스인 경우에는 Blunt cannula를, 피부가 두껍거나 다운타임이 문제되지 않는 경우는 Needle을 선택한다.

2) 주입 볼륨

깊이에 따라 다르지만 평균 1-2 cc/side를 주입한다.

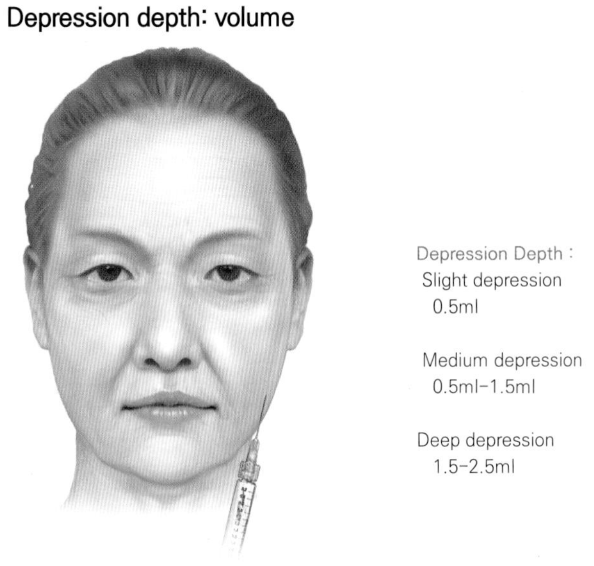

Depression depth: volume

Depression Depth :
Slight depression
0.5ml

Medium depression
0.5ml-1.5ml

Deep depression
1.5-2.5ml

Figure 4-3-8. Injection volume

3) 경과 및 시술 전후 사진

• Lateral cheek 시술 후 3일 뒤 사진으로, Cannual로 시술한 right lateral cheek은 시술 부위에 멍이 없고, 부기가 적으나, Needle로 시술한 left lateral cheek은 멍과 부기가 관찰된다.

Cannula   Needle

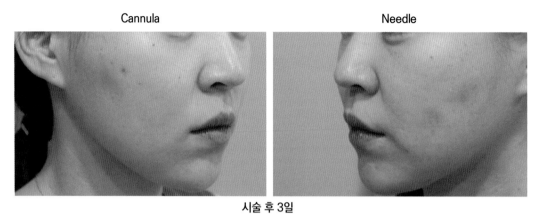

시술 후 3일

Figure 4-3-9. Downtime

• 주입 후 볼륨감은 Cannula로 주입한 right lateral cheek보다, Needle로 시술한 left
lateral cheek 쪽이 더 좋은 것을 관찰할 수 있다.

Cannula   Needle

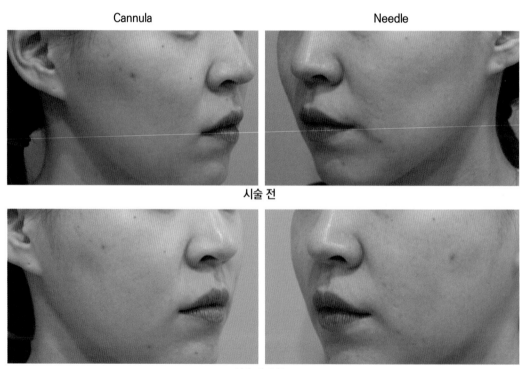

시술 전

시술 후 6주

Figure 4-3-10. Subjective satisfaction(volume effect)

• Lateral cheek과 Buccal cheek, 입가, Chin을 동시에 교정한 케이스이다. 볼과 턱끝을 동시에 교정 시 얼굴의 가로, 세로 비율이 변하면서 V 라인이 만들어짐을 알 수 있다

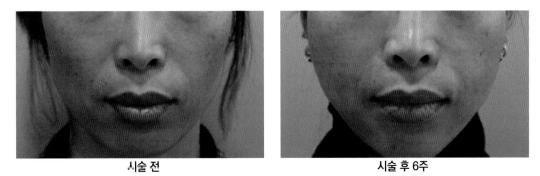

시술 전   시술 후 6주

Figure 4-3-11.
Lateral cheek: Elravie deepline 2.1 cc/side, Buccal cheek: Elravie deepline 1.4 cc/side
Nasolabial fold: Belotero balance 1.1 cc/side, Chin: Elravie deepline 1 cc

• 시술 후 14개월 뒤 사진으로, 시술 전과 비교할 때 볼륨 유지가 잘 되고 있는 것을 알 수 있고, 시술 후 6주와 14개월 뒤를 비교했을 때도 볼륨의 차이가 없음을 관찰할 수 있다.

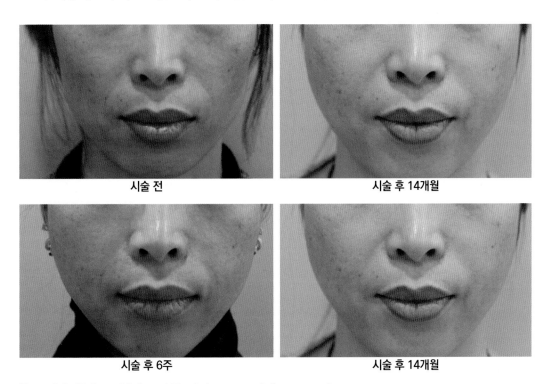

시술 전   시술 후 14개월

시술 후 6주   시술 후 14개월

Figure 4-3-12. Lateral & Buccal Cheek: Long-term follow up results.

• Lateral cheek과 Buccal cheek, Anteromedical cheek을 동시에 교정한 케이스이다. 이런 경우 볼륨이 증가되어서 얼굴이 커보이는 것이 아니라, 커진 부분이 올라오면서 얼굴이 더 작아 보이고 리프팅 되어 보이는 것을 알 수 있다.

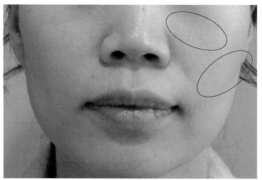

시술 전

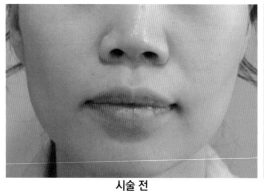

시술 전

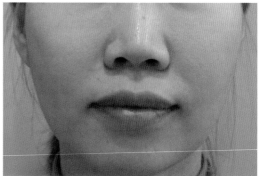

시술 후 9주

Figure 4-3-13.
Lateral cheek: Elavie deepline 1.1 cc/side
Buccal cheek: Elavie deepline 2 cc/side
Tear trough+ant.malar: Elavie deepline 1.4 cc/side=Total 9 cc

• 시술 후 40개월 뒤 사진으로, 시술 전과 비교 했을 때도 볼륨 유지가 잘 되고 있지만, 시술 후 6주와 40개월 뒤를 비교했을 때도 볼륨의 차이가 없음을 관찰할 수 있다.

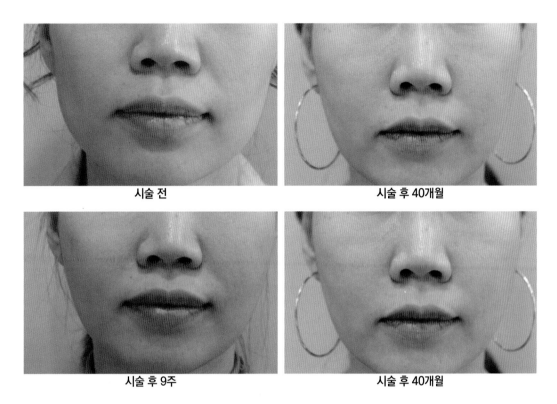

시술 전	시술 후 40개월
시술 후 9주	시술 후 40개월

Figure 4-3-14. Lateral, Buccal and Anteromedial Cheek: Long-term follow up results.

4) 시술 시 주의 사항

- Lateral cheek은 Skin과 SMAS layer 사이에 fibrotic band가 많기에 어느 일정 볼륨이상 주입 시 주입한 영역 밖으로 필러가 흘러가서 도넛처럼 오히려 주변 부분이 더 볼륨이 생기고 주입해야 할 부분은 더 볼륨이 올라오지 않기에, 일정 볼륨을 주입 후 더 올라오지 않으면, 6~8주 후에 한번 더 얕은 층으로 주입하여 교정하여야 한다.

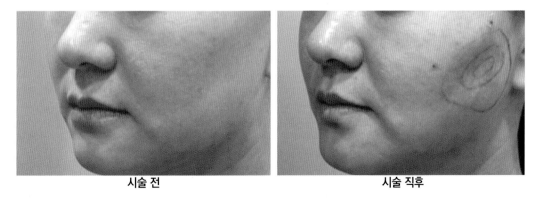

시술 전	시술 직후

Figure 4-3-15. 도넛현상

- subSMAS (Layer 4) 주입 시에는 parotid duct, facial nerve 손상을 피해야 한다.

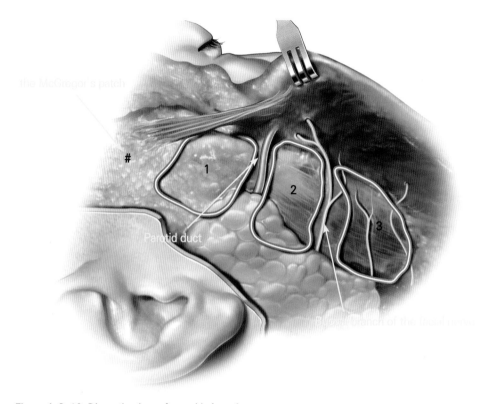

Figure 4-3-16. Dissection is performed in layer4.

between the SMAS (uplifted) and the deep fascia (parotideom asseteric fascia) The superior (1) middle (2) and the inferior (3) premasseter compartments are encircled.

Lateral cheek

홍기웅

1. 시술 전 고려사항

뒷볼 혹은 옆볼이라고 하는 관골궁 이랫부분이 꺼져 있는 경우, 광대가 두드라지고 얼굴이 울퉁불퉁해 보여 교정을 원한다. 하지만 꺼진 정도가 심하거나 관골궁의 inferior border에서 시작하여 피부에 부착하여 피부를 잡아당기고 있는 zygomatico-cutaneous ligament가 발달한 경우 관골궁 아랫면과 피부의 부착이 심하여 필러를 주입해도 파여보이는 부위가 잘 올라오지 않고 오히려 옆으로 퍼지며 울퉁불퉁해 보일 수 있는데 이런 경우 midcheek groove 때의 치료와 마찬가지로 속에 있는 인대 부분을 카눌라를 이용하여 undermining하여 피부를 잡아당기는 힘을 약화시키고 필러가 들어갈 공간을 만들어줘야 파인 부분이 살아나게 된다.

2. 시술 방법

꺼진 정도가 심하지 않을 때는 살려야 하는 시술 부위의 경계를 표시한 후, 살리고자 하는 부위의 아랫면에서부터 위쪽으로 피부 밑 지방층에 니들이나 카눌라를 이용하여 시술한다. 필러 주입 후 울퉁불퉁한 부분이 있을 경우 부드러운 필러를 진피층을 포함한 진피하 주사하여 마무리한다. 카눌라를 이용하여 인대조직에 의해 엉겨 붙어있는 부분을 풀어주는 경우 카눌라의 진입을 위한 puncture 포인트는 lateral orbital rim의 lateral margin에서 수직선을 긋고 입꼬리에서 tragus까지 수평선을 그은 후 두 선이 만나는 지점 정도에 잡는 게 좋다. 카눌라를 이용해 엉겨 붙어있는 피부부착 부위를 어느 정도 풀어준 후 retrograde fanning과 layering tech.로 SMAS층과 deep fascia인 parotid-masseteric fascia 사이의 deep fat층에 적당히 필러를 주입한다. 꺼진 부분을 평평하게 해준 후 다른 부위와 마찬가지로 울퉁불퉁한 부분이 있거나 경계가 표시나는 경우 부드러운 필러를 진피 밑층에 주사하여 마무리한다(Figure 4-3-17).

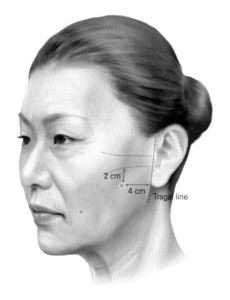

Buccal and lateral cheek hollow injection
entry point for deep injection
- 4cm anterior to tragal line and 2cm below
  from lower margin of the zygomatic arch
  for deeper injection (subSMAS layer)
- cross of the line from the mouth
  commissure to tragus and the vertical line
  of lateral orbital rim for subSMAS layer or
  buccal fat pad

Buccal and lateral cheek hollow injection
technique
• Retrograde horizontal fanning
  - SubQ 0.7-1 cc for deep layer injection
    : 23 G cannula
      - Restylane lidocaine 0.3-0.5 cc each
        area for subdermal injection to
        smooth out the surface

Figure 4-3-17. Lateral cheek hollow : Injection point and techniques

참고문헌

1. Pilsl U, et al. Anatomy of the cheek: Implications for soft tissue augmentation. Dermatol Surg. 38:1254-62, 2012.

2. Cohen JL, et al. Anatomic considerations for soft tissue augmentation of the face. J Drugs Dermatol. 8:13-6, 2009.

3. Nakajima, et al. Anatomical study of subcutaneous adipofascial tissue: A concept of the protective adipofascial system(PAFS) and lubricant adipofascial system(LAFS). Scand J Plast Reconstr Surg Hand Surg. 38(3):261-6, 2004.

4. Mendelson BC, et al. Surgical anatomy of the middle premasseter space and its application in sub-SMAS face lift surgery. Plast Reconstr Surg. 132:57-64, 2013.

Lateral cheek

김의식

뒷볼 꺼짐 Lateral cheek hollowness

1. 디지인

옆볼 꺼짐이라고도 하며, 광대 활 밑면이 꺼져 있는 경우로 광대가 도드라져 보이고, 얼굴이 굴곡져 보여 남성적인 이미지를 갖게 되므로 여성들이 주로 교정하길 원한다. 노화가 진행할수록 masseter 앞쪽에 존재하는 false retaining ligament인 masseteric cutaneous ligaments의 지지 효과가 약화되어, 깨물근을 덮는 SMAS가 늘어지고, 그 부위의 피부가 처지면서 뒷볼 꺼짐이 발생한다. Sitting position에서 함몰 부위를 표시하고, 시술한다.

2. 마취

목표 지점의 윤곽을 방해할 우려 때문에, 주사위치(Entry point)에만 소량의 국소 마취를 시행한다.

3. 시술법

꺼진 뒷볼의 해부학적 구조는 얕은 층에서 깊은 층으로 피부-표층지방층-SMAS-(premasseteric space)-parotidomasseteric fascia-parotid gland & masseter-골막으로 이루어져 있으며, SMAS와 masseteric fascia는 masseteric cutaneous retaining ligaments들로 tight하게 bound되어 있다. 또한, 관골 궁의 inferior border에서 시작해 피부에 부착하여 피부를 잡아당기고 있는 zygomatic cutaneous ligaments가 발달한 경우에는, 관

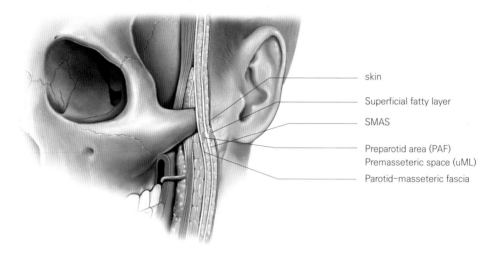

Figure 4-3-18. Anatomical 5 layers of lateral cheek area

골 궁 아랫면과 피부의 부착이 심하여 필러를 주입해도 함몰부위가 잘 올라오지 않고 오히려 주변부로 퍼지며 굴곡져 보일 수 있기 때문에, 이러한 지지인대들을 subcision, release, undermining한 후에 필러를 주입하는 것이 좋겠다(Figure 4-3-18).

주사 위치는 함몰 부위의 하부로 하되, 대개는 lateral orbital rim에서 내린 수직선과 입꼬리

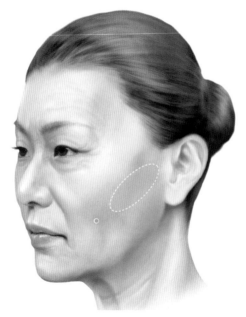

Figure 4-3-19. Entry point for lateral cheek hollowness

에서 tragus를 연결하는 가상 선이 만나는 지점 근처가 되며(Figure 4-3-19), 캐뉼라를 이용하여 지지인대의 유착을 뜯어내듯이 끊어주면서 release한 후에, retrograde radial fanning기법으로 주입한다. 가능한 관골 궁 아래 붙여서 주입해야 함몰부위와의 사이에 공간이 패이는 모습을 피할 수 있다.

주사 깊이는 일반적으로는 함몰 부위의 표층지방층으로, 가장 많이 꺼진 광대활 밑면을 광대활 수준으로 채우고, 주변부를 feathering해야 과 교정을 피할 수 있다. 함몰이 심한 경우라면, 보강할 부위를 디자인하고, 캐뉼라로 3번과 5번층 사이의 지지인대를 어느 정도 이완시킨 후, 그 공간에─ 아마도 upper premasseteric space와 일부 preparotid area가 되겠는데─ arch 밑면이 가장 꺼져 있으므로, 최대한 붙여서 arch수준으로 채우고, 하방으로는 점차로 feathering을 시켜 모양을 만든 후 bulging이나 lump, irregularity가 없도록 부드럽게 마사지한다. 추가로 부드러운 필러로 진피층을 포함하여 표층지방층에 주입하는 것도 고려해 볼 수 있다. 시술 시 parotid duct 손상에 관해 염려하시는 분이 있는데 parotidomasseteric fascia는 메스로 박리해도 잘 안 벗겨지는 매우 질기고 tough한 막으로, 이를 제껴야 비로소 duct와 nerve를 관찰할 수 있기 때문에 캐뉼라를 쓴다면 매우 안전하고, 너무 깊게만 니들을 찌르지 않는다면 비교적 안전하다고 볼 수 있다. Parotid duct의 위치는 surface anatomy로 짐작해 볼 때, tragus와 cheilon를 잇는 선의 중간 1/3 앞 모서리에서 수평선을 그은 선이 masseter 위의 주행경로가 된다.

참고문헌

1. Rohrich RJ, Pessa JE. The fat compartments of the face: Anatomy and clinical implications for cosmetic surgery. Plast Reconstr Surg. 2007;119:2219-2227

2. Rohrich RJ, Pessa JE, Ristow B. The youthful cheek and the deep medial fat compartment. Plast Reconstr Surg. 2008;121:2107-2112.

3. Mendelson BC, Muzaffar AR, Adams WP Jr. Surgical anatomy of the midcheek and malar mounds. Plast Reconstr Surg. 2002;110:885-896

4. Mendelson BC, Jacobson S. Surgical anatomy of the midcheek: Facial layers, spaces, and the midcheek segments. Clin Plast Surg. 2008;35:395-404

Lateral cheek 시술 한 눈에 비교하기

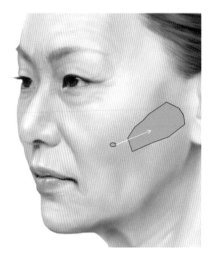

김현조-Lateral cheek

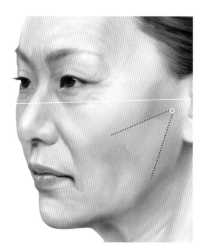

윤춘식-Lateral cheek

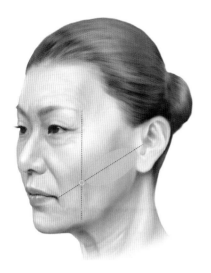
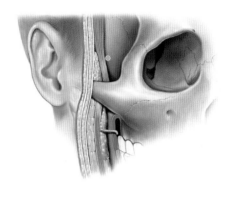

홍기웅-Lateral cheek

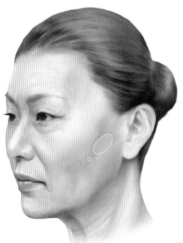
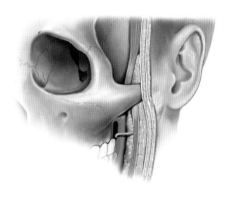

김의식-Lateral cheek

	김현조	윤춘식	홍기웅	김의식
주사기/캐뉼라	캐뉼라 23 G	캐뉼라 23 G	캐뉼라 21 G 혹은 23 G	캐뉼라 23 G
한쪽당 주입량	1-2 cc	1-2 cc	단단한 필러 0.7-1 cc 꺼진 부위 살려준 후 부드러운 필러 0.2-0.3 cc로 마무리	0.5-1 cc
필러 강도(G*) 선택 : 더채움필러 No.1,2,3,4 [판매사: 휴젤(주)] 기준	넘버 2	넘버 4	단단한 필러 : 넘버 3 부드러운 필러 : 넘버 1	얕게 놓을 땐 넘버 2 깊게 놓을 땐 넘버 3
마취방법	마취연고	마취연고	캐뉼라 사용 시 : 마취연고 후 진입포인트만 국소리도케인 주사 들러붙은 인대조직을 release 시: 풀어줄 부위에 추가로 리도케인 주사	마취연고 후 자입점만 국소마취
주입 테크닉	Fan & Linear Threading Technique	Fan + linear threading technique	깊은 층 : retrograde horizontal fanning and crossing technique, layering technique 얕은 층 : lenear threading and drplet technique	release, undermining 후 Retrograde fannig
주입층	Superficial Fat(Layer 2)	subcutaneous	깊은 층 : SMAS와 parotid-masseteric fascia 사이 premasseteric space 얕은 층 : subdermal layer	Layer 2(sub Q) 심하다면+Layer 4 (sub SMAS space)

chapter 05

팔자주름

백형익

1. 디자인

통상적으로 팔자주름이라고 불리고 있지만 crease만 있는 경우도 있고 crease 없이 단순히 함몰된 부분만 있는 경우도 있다. 또한 팔자주름을 경계로 계단 형태의 언덕과 골이 있는 fold형태의 경우도 있으며 crease나 함몰된 부분 없이 표정을 지었을 때만 나타나는 여러 개의 line이 보이는 경우 등 이와 같은 모든 경우를 포함해 팔자주름이라고 말하고 있지만, 각각의 경우에 따라 시술방법을 다르게 해야 한다.

팔자주름이 생기게 되는 해부학적 인자는 몇 가지가 있으며 대부분 그 여러 가지 인자가 복합적으로 작용해 주름이 생긴다.

선천적으로 paranasal bone이 함몰된 경우에는 노화로 인해서 팔자주름이 생기기 이전에 함몰된 부분으로 인해서 더 일찍 팔자주름이 깊게 나타날 수 있다.

Levator labii superioris alaque nasi, Levator labii superioris, Zygomaticus Major, Zygomaticus Minor와 같은 입술을 위로 올리는 근육은 뼈에서 기시하여 팔자주름부위의 진피에 부착이 되는데 피부에 주름 또는 깊은 골을 만드는 대표적인 원인인자이다.

팔자주름을 경계로 외측에 위치한 피하지방층, 즉 얼굴의 superficial fat compartment 중에서 nasolabial fat이라고 불리는 지방은 노화에 따라서 지방의 양이 아래쪽으로 이동되어 팔자주름이 더욱 깊게 나타나게 하는 원인이 될 수 있다. 또한 깊은 지방층 중 Deep medial cheek fat의 양은 노화에 따라서 부피가 감소하는데 이 역시도 팔자주름이 뚜렷해지는 하나의 원인이 될 수 있다(Figure 5-1).

이때 팔자주름에 영향을 주는 Deep fat compartment는 Deep medial cheek fat compartment의 medial part로 이 지방층과 골막과의 사이가 Ristow's space라 불리우는 공간이 되며 팔자주름을 교정하기 위한 필러시술 시 필러를 주입하는 효과적이면서 안전한 공

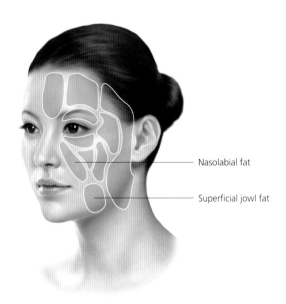

Nasolabial fat

Superficial jowl fat

Figure 5-1. Superficial fat compartment of the face

간이 되기도 한다.

팔자주름의 원인과 형태에 따라서 디자인이 달라지지만 일반적인 형태의 팔자주름을 교정한다고 한다면 아래와 같다.

Figure 5-2와 같이 alar base쪽을 삼각형의 밑변으로 하고 oral commisure 방향을 삼각형의 꼭짓점으로 하는 라인을 연결하는데 꼭지점의 끝은 무표정 시에 눈으로 확인되는 함몰된 부위까지로 한다.

환자가 웃거나 말할 때 팔자주름이 더 깊어지면서 삼각형의 꼭짓점 아래로 팔자주름이 연장이 되는 것이 확인이 되면 꼭짓점부터 연장되는 선의 끝부분까지도 표시해둔다.

2. 마취

마취는 피부표면 마취크림과 부분마취로 시행이 되며 1:200,000 에피네프린이 포함된 1% 리도카인을 한 군데의 자입점을 포함하여 필러가 주입될 layer 즉 Ristow's space (Deep medial cheek fat 의 medial part 하방과 Periosteum 사이), 또는 Canine fossa라고 불리는 부분에 가능한 한 소량으로 마취를 한다.

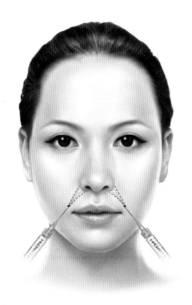

Figure 5-2.
1. 팔자주름을 경계로 삼각형 모양의 함몰된 부위를 디자인한 모습
2. 자입점의 위치
3. 23 G 50 mm blunt cannular 를 위치시키고 retrograde technique을 이용하여 필러를 시술하는 모습

3. 시술법

1) cannula

23게이지 50 mm 캐뉼라를 이용하여 필러를 Ristow's space (Deep medial cheek fat의 medial part 하방과 Periosteum 사이), 또는 Canine fossa로 주입하며 자입점은 한군데를 사용한다.

자입점의 위치는 디자인한 라인 위에 위치시키는 것보다는 보통 라인의 바깥쪽에 즉 삼각형의 꼭짓점보다 외측에 표시를 하는데 보통 oral commissure에서 바깥쪽으로 1.5 cm 위쪽으로 1 cm 정도에 위치한다.

facial artery의 주행경로가 팔자주름의 방향을 따라서 진행이 되는 경우가 많아서 팔자주름의 필러 시술 시 큰 혈관의 손상 및 혈관 내에 필러 입자의 주입으로 인한 심각한 부작용이 생길 수 있다. 하지만 자입점은 단지 캐뉼라가 들어가는 입구부분에 해당이 되며 23게이지 니들로 피부만 뚫기 때문에 혈관손상을 두려워할 필요는 없다.

더 중요한 것은 필러를 주입할 layer와 facial artery의 주행층과의 관계이다.

팔자주름 부위에서 facial artery의 깊이에 대한 아직 많은 연구가 이루어지지 않았고 서양인과 동양인 사이에서도 주행하는 깊이에 대한 논란의 여지가 있지만 가장 깊은 층인 골막 위층이 혈관손상을 피할 수 있는 가장 안전한 층이라는 것에 이견을 다는 사람은 없을 것이다.

fan technique으로 필러를 주입을 하는데 캐뉼라를 원하는 곳까지 위치시킨 후 뒤로 빼면서 필러를 주입하는 방법으로 소량씩 부드러운 힘으로 주사한다.

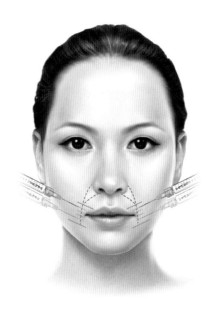

Figure 5-3.
1. Soft filler를 이용하여 동적 주름을 개선시키는 방법
2. 30 G sharp needle을 이용하여 superficial dermis에 필러를 주입한다.
3. 함몰된 부위에서는 팔자주름보다 안쪽에서 시작하여 필러를 주입하며 연장된 팔자주름 부위에서는 주름보다
   바깥에서 시작하여 bridging technique으로 필러를 주입한다.

무표정일 때와는 달리 웃거나 말을 할 때 팔자주름이 더 깊어지고 팔자주름도 입가쪽으로 더 연장이 되어 나타나는 주름을 동적 주름으로 표현할 수 있다.

이 동적 주름을 효과적으로 개선시키면서 골막 위에 주입한 필러의 양을 최소한으로 할 수 있는데 진피 내에 필러를 주사하는 방법이 있다.

Figure 5-3과 같이 Restylane vital을 30게이지 니들로 진피의 가장 상층에 주사를 하는데 이는 Fern technique이나 Bridging technique을 부분적으로 이용하여 주사하는 방법이다.

팔자주름의 외측에 Nasolabial fat이 잘 발달되어 주름과 계단형의 턱이 있는 경우에는 주름

에 대해서 수직방향으로 주름에서 시작해서 주름의 안쪽으로 니들을 위치시키는데 니들의 bevel은 아래쪽을 향하게 하여 뒤로 니들을 빼면서 필러를 아주 소량 주사하는 방법이다.

계단형의 턱이 없어지는 팔자주름의 라인부터는 Bridging technique으로 진피의 상층에 같은 방법으로 주사를 하는데 역시 아주 소량만 주사해야 한다.

진피 내 주사가 끝나면 티스푼이나 롤러를 이용하여, 진피 내 주사된 Restylane vital을 lump가 생기지 않도록 마사지를 해주는 것이 좋다.

2) 주입볼륨은 골막 위에 주입하는 볼륨 필러의 경우 한쪽 팔자주름당 1 cc 내외로 하며 진피에 주사하는 필러는 팔자주름 한쪽당 0.2 cc 내외이다.

3) 경과 및 시술 전후 사진

부기는 거의 없으며 일주일째 확인하여 진피 내 주사한 필러가 부족한 부분에 추가 주사를 해줄 수 있다.

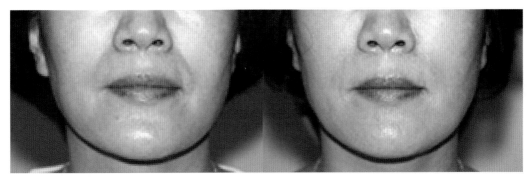

Figure 5-4. 시술 전후 사진

Figure 5-5. 시술 전후 사진

4) 시술 시 주의 사항

모든 필러 시술 시 공통적으로 해당이 되는 사항이기도 하다. 캐뉼라나 니들을 전진시키면서 필러를 주입해서는 안 되며 원하는 곳까지 위치시킨 후 캐뉼라나 니들을 뒤로 빼면서 필러를 주입하는 것이 중요하다.

또한 힘을 가하여 한 번에 많은 양의 필러를 주입하는 것보다는 부드러운 힘으로 소량씩 여러 번 주입하는 것이 더 안전하다.

5) 해당부위의 부작용 및 해결법

필러 시술 시, 발생할 수 있는 가능성이 있는 부작용은 다 발생할 수 있는 부위에 해당한다.

여기서는 좀 더 심각한 부작용에 대해서 언급하려고 한다.

과장된 면역반응으로 발생하는 것으로 알려진 nodule 또는 biofilm이 발생할 수 있는데 치료는 hyaluronidase를 주사하고 스테로이드나 5FU를 주사할 수 있으며 외과적 치료를 해야 하는 경우도 있다.

이러한 부작용은 시술 전 시술부위에 대한 소독 및 시술 과정 중에 오염이 된 캐뉼라나 니들의 사용 또는 부적절한 필러의 사용이 원인이 될 수 있다.

가장 심각한 부작용으로는 facial artery 내에 필러 입자가 들어가서 territory를 따라서 광범위하게 피부괴사를 일으킬 수 있으며 급성으로 실명을 야기시킬 수도 있다.

피부괴사는 바로 나타나는 것이 아니라 보통 시술 후 2~3일 정도 안에 시술부위 또는 그 인접부위에 홍조를 먼저 보이면서 통증이 동반이 된다면 혈액순환의 장애를 의심해봐야 하며 빠른 hyaluronidase의 사용을 고려해야 한다.

참고 문헌

1. Matthias G, Christine S, Volker G, Yahja A, Jorg W, Aging changes of the midfacial fat compartments : A computed tomographic study,Plast.Reconstr.Surg. 2012; 129: 266,

2. Rod J, Joel E, Brunno R, The youthful cheek and the deep medial fat compartment, Plast. Reconstr. Surg. 2008; 121:2109

이용우

1. 디자인

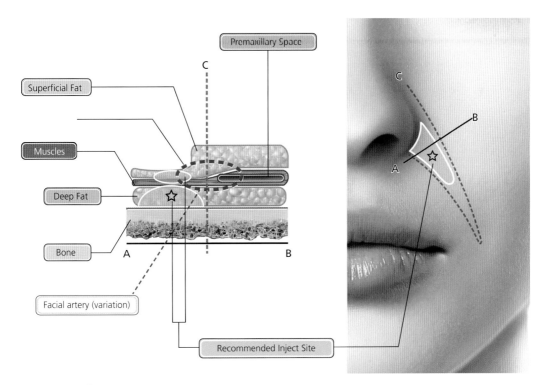

Figure 5-6. 단면도

2. 마취

팔자주름이 끝나는 외측하방 끝의 주사 바늘 자입점에만 리도케인 피하지방 마취를 시행한다.

3. 시술법

1) Needle vs Cannula

23 G 주사바늘로 피부와 약 30~45도 각도로 Figure 5-6의 별 표시가 있는 부위의 뼈에 닿기 직전까지 젠틀하게 접근한다. 주사바늘이 들어가는 도중에 환자가 찌릿한 통증을 느끼는 경우나 출혈로 피부가 부풀어 오르는 경우에는 경로를 조금 바꿔서 진입한다.

필러를 주입할 때에는 반드시 Figure 5-6의 C라인 바깥쪽을 시술 반대쪽 손으로 강하게 눌러서 필러가 원치 않는 부위로 흘러가는 것을 막고, 혈관으로 필러가 들어갈 가능성을 차단한다.

2) 주입 볼륨

뼈 위에 한쪽에 넣을 필러의 70% 정도를 넣는다고 생각하며 0.2−0.3 cc 정도씩 필러가 들어갈 때마다 Figure 5-6의 별표 부위를 손가락으로 눌러보며 필러가 원하는 위치에 잘 들어가고 있는지 확인한다.

피하지방층에 필러를 넣을 경우에는 자입점에서 주사바늘을 완전히 빼지 말고 거의 뺀 상태에서 다시 피하지방층으로 주사바늘을 진입시켜 필러를 주입한다. 깊은 층 주입처럼 Figure 5-6의 별표 모양 있는 부위가 똑같이 타겟 부위이며 이 부위에 너무 얕게 필러를 넣을 경우에는 표면에서 어색하게 튀어나와 보일 수 있기 때문에 피부에 너무 붙인채 필러를 주입하지는 않는다.

3) 시술 시 주의 사항

뼈 바로 위인 깊은 층은 deep medial cheek fat (DMCF)이 위치하는 곳으로 얼굴동맥(facial artery)이 지나는 일이 거의 없다. 그렇기 때문에 필러가 원치 않는 부위로 흘러가는 것만 주의하여 주사를 하여도 큰 문제가 없다. 하지만 피하지방층에 필러를 주입할 경우 주변으로 얼굴동맥이 지날 가능성이 높기 때문에 서서히 적은 압력으로 필러를 주입하는 것이 중요하다.

또한 필러가 Figure 5-6의 C라인 바깥쪽으로 이동하게 될 경우에는 오히려 팔자주름을 더 깊게 보이게 할 수 있으니 시술 반대쪽 손으로 잘 막고 시술하는 것이 중요하다.

4) 해당 부위 부작용 및 해결법

이 부위의 필러 주입의 가장 큰 합병증은 피부괴사와 시각 합병증이다. 특히 안면동맥의 분지인 가쪽코동맥(lateral nasal artery)이 막힐 경우에는 콧방울(alar)의 괴사가 생기는 경우가 가장 많다. 또한 필러가 얼굴동맥의 분지를 타고 안동맥(ophthalmic artery)으로 흘러갈 경우에는 시각 합병증을 유발할 수 있기 때문에 C라인 바깥쪽을 강하게 누르고 시술함으로써 이러한 가능성을 줄일 수 있다.

참고문헌

1. Gierloff M, Stohring C, Gassling V. Aging Changes of the Midfacial Fat Compartments: A Computed Tomographic Study. Plast. Reconstr. Surg. 129:263, 2012.

2. Wong CH, Mendelson B. Facial Soft-Tissue Spaces and Retaining Ligaments of the Midcheek: Defining the Premaxillary Space. Plast. Reconstr. Surg. 132:49, 2013.

3. Brandt MG, Hassa A, Roth K, et al. Biomechanical Pproperties of the Facial Retaining Ligaments. Arch Facial Plast Surg. 14(4):289, 2012.

4. Lee JG, Yang HM, Choi YJ, et al. Facial Arterial Depth and Relationship with the Facial Musculature Layer. Plast. Reconstr. Surg. 135:437, 2015.

5. Mendelson B, Wong CH. Changes in the Facial Skeleton With Aging: Implications and Clinical Applications in Facial Rejuvenation. Asst. Plast Surg. 36:753, 2012.

발생원인

1. Lip elevator에서 origin하는 muscle fiber의 attachment: maxillary ligament가 피부를 당겨서 생긴다는 주장도 있지만, maxillary ligament가 피부에 부착한 위치와 팔자주름이 일치하지 않는 경우도 많기에, Maxillary ligament에 의한 Nasolabial fold 발생 이론은 가능성이 떨어지는 것 같다. 결국은 lip elevator muscle의 지속적인 움직임과 muscle fiber의 피부 부착이 팔자주름 발생의 중요한 원인이다.

2. fold 위쪽 Superficial fat의 folding과 fold 위아래에 걸쳐 있는 deep fat인 DMCF의 볼륨 감소

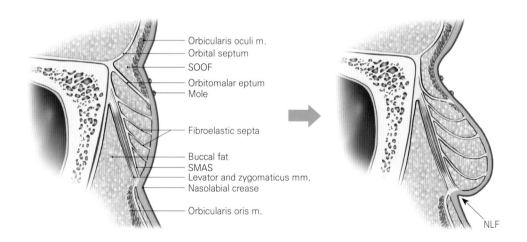

Figure 5-7. Nasolabial fold: Superficial fat의 sagging과 DMCF의 볼륨 감소

3. fold 안팎 조직의 tissue density 차이: fold 상부의 지방층 조직은 상대적으로 loose하나, 안쪽은 dense하고 tight하다.

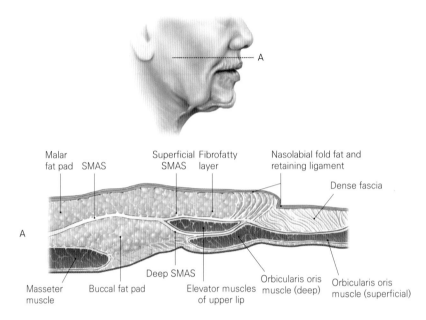

Figure 5-8. Nasolabial fold: fold 안팎의 tissue density 차이

1. Design & Surface anatomy

1) 팔자주름은 길이에 따라 (1) short, (2) Extended, (3) Continuous 3가지 형태로 나눌 수 있다.

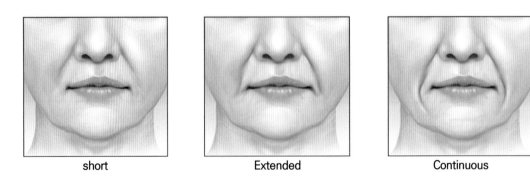

short   Extended   Continuous

Figure 5-9. Nasolabial fold: length

2) 팔자주름은 형태에 따라 (1) Concave, (2) Straight, (3) Convex 3가지 형태로 나눌 수 있다.

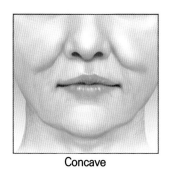
Concave

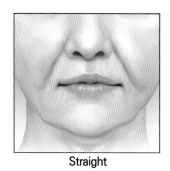
Straight

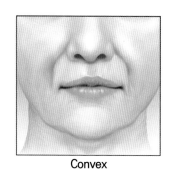
Convex

Figure 5-10. Nasolabial fold: length

3) 디자인

가장 많이 volume augmentation을 해야 하는 alar recess를 먼저 표시하고, 그 아래 연결되어 있는 라인을 따라 디자인한다.

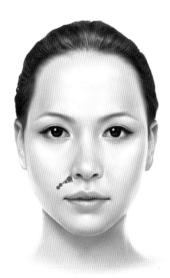

Figure 5-11. Nasolabial fold: Design

2. 마취

1) EMLA 마취
팔자주름의 경우 저자는 대부분 EMLA 마취만으로 시술하고 있다.

2) Lidocaine 마취
팔자주름의 경우 저자는 별도의 nerve block을 시행하고 있지 않으며, cannula 사용 시에만 Entry point 마취를 위해 lidocaine inject마취를 시행한다.

3. 시술법

1) Needle or cannula
(1) Needle

• 팔자주름 상부(Alar recess 쪽)

저자의 경우에는 피하지방층(Layer 2)과 골막위층 혹은 DMCF을 목표로 해서 2 layer로 주입한다. Gierloff 등에 의하면 DMCF은 팔자주름을 가로지르고 있으며, Superficial fat과 달리 나이가 들었을 때 DMCF 전체가 균일하게 볼륨이 준다고 하였다. 따라서, 팔자주름 밑에 있는 DMCF에 볼륨을 주입하는 것은 굉장히 중요하다. 피하지방층에 주입 시에는 facial artery를 피하기 위해 subdermal layer로 주입하고, 골막위에 주입 시에는 bone touch하고 주입한다. 보통 한 포인트당 주름의 깊이에 따라 다르지만, 깊으면 0.4 cc를 얕으면 0.1 cc를 주입한다. 보통 주름의 깊이가 얕으면 subdermal하게만 주입하며, 깊은 경우는 Two layer로 깊은 층과 얕은 층에 주입한다. 이런 경우 깊은 층과 얕은 층의 주입 양의 비율은 대략 1:1로 주입하고 있으며, 라인의 두드러진 경우는 라인을 따라 추가로 intradermal하게 주입해서 라인까지 교정해준다.

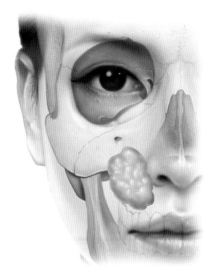

Figure 5-12. Deep medial cheek fat

Deep medial cheek fat의 medial fat은 앞니까지 연장되어 있기에, DMCF의 필러 주입을 하면 팔자주름을 융기시켜, 팔자주름을 완화시키게 된다.

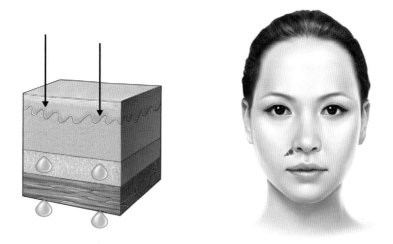

Figure 5-13. Kisses technique: Needle: Superficial & Deep Inject

• 팔자주름 하부(Alar recess 하부)

Vertical injection technique을 사용하고, 라인을 따라 주행하는 facial artery를 피하고 dermal wrinkle을 없애기 위해 subderma layer(피방지방층 상부)와 deep dermis 깊이에 주입한다.

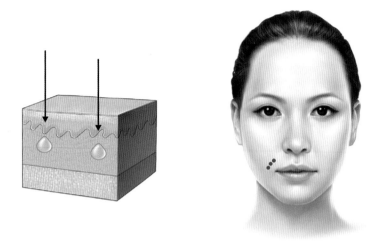

Figure 5-14. Kisses technique: Needle: Intradermal & Subdermal injection

(2) Cannula

피하지방층과 골막 위 2층을 목표로 해서 주입한다. Entry point는 팔자주름이 끝나는 혹은 방향이 바뀌는 점을 정한다. Entry point puncture 시 팔자주름을 따라 주행하는 facial artery를 피하기 위해 Needle puncture 시 dermis만 살짝 뚫는 느낌으로 puncture해야 facial artery를 피할 수 있다.

시술법은 우선, subdermal layer로 linear threading technique과 fan technique을 이용해서 alar recess를 채우고, alar recess 하방부는 linear threading technique만을 이용해서 라인을 채우고 나온다. 그런 후 골막위로 Deep medial cheek fat 중 alar recess와 라인 하방에 해당되는 부위에 주입한다.

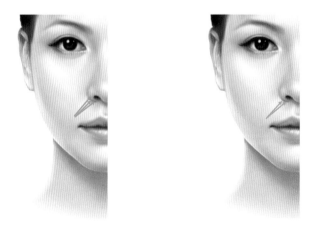

Figure 5-15. Linear threading technique: Cannula: Supf & Deep inject

2) 주입 볼륨

깊이에 따라 다르지만 한쪽당 평균 1~2 cc를 주입한다.

3) 경과 및 시술 전후 사진

아래 사진과 같이 깊은 팔자주름의 경우 Two layer (Subdermal + Supraperiosteal level)로
교정해주어야 한다.

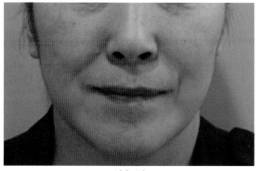 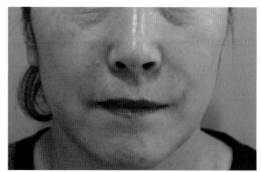

| 시술 전 | 시술 후 4주 |

Figure 5-16. 팔자주름: 깊은 팔자주름 (Two layer)

아래 사진과 같이 중간 정도 깊이의 팔자주름의 경우 One layer (Subdermal)를 Cannula를
이용해 교정해 주면 좋다.

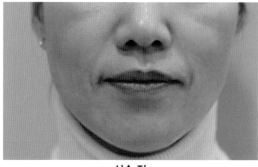 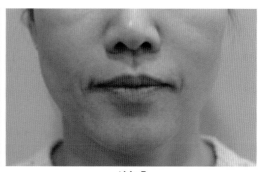

| 시술 전 | 시술 후 |

Figure 5-17. 팔자주름: 중간 깊이 팔자주름 (One layer)

아래 사진과 같이 얇은 팔자주름의 경우 Needle을 이용해서 subderml layer로만 교정해 주
어도 좋은 결과를 볼 수 있다.

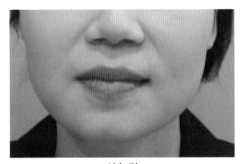
시술 전

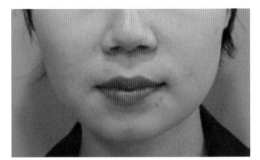
시술 후

Figure 5-18. 팔자주름: 얇은 팔자주름 (One layer)

아래 사진은 팔자주름, 입옆주름, Marionette line이 같이 있는 케이스로 이런 경우 팔자주름
만 교정하는 것이 아니라, 입옆, Marionette line을 같이 교정해 주어야 한다.

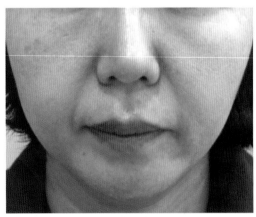
시술 전

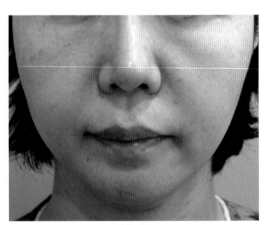
시술 후

Figure 5-19. 팔자주름 + 입옆 주름 + Marionette line

아래 사진과 같이 팔자주름이 깊지 않고 crease 정도일 때는 crease를 따라 subdermal or intradermal하게만 주입해서 교정한다.

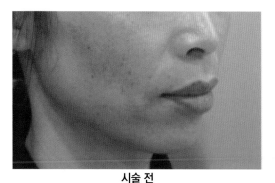

| 시술 전 | 시술 후 |

Figure 5-20. 팔자주름: crease 형태의 팔자주름

4) 시술 시 주의 사항

• 필러 주입 시 라인의 상방으로 많은 양이 주입되거나 혹은 근육의 움직임에 의한 필러의 upward migration에 의해 팔자주름 상방이 더 볼륨이 많아져서 팔자주름이 깊어 보일 수 있다. 따라서 필러를 주입할 때 팔자주름 상방에 주입되지 않도록 조심해야 한다.

• 팔자 부위 필러를 시술할 때 팔자주름이 좌우가 비대칭인 경우가 있기에, 미리 환자에게 이야기하고, 주름의 깊이에 따라 필러 주입 볼륨 조절을 해야 한다.

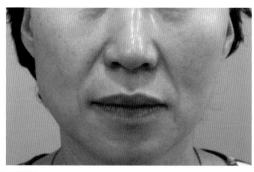

Figure 5-21. 팔자주름의 좌우 비대칭

• Lip elevator muscle의 파워가 강하고 자주 웃는 경우는 팔자 필러 유지기간이 줄기에 팔자 필러 유지기간을 증가시키기 위해 Levator labii superior alaque nasi에 보툴리눔 독소 병행 치료를 고려해야 한다.

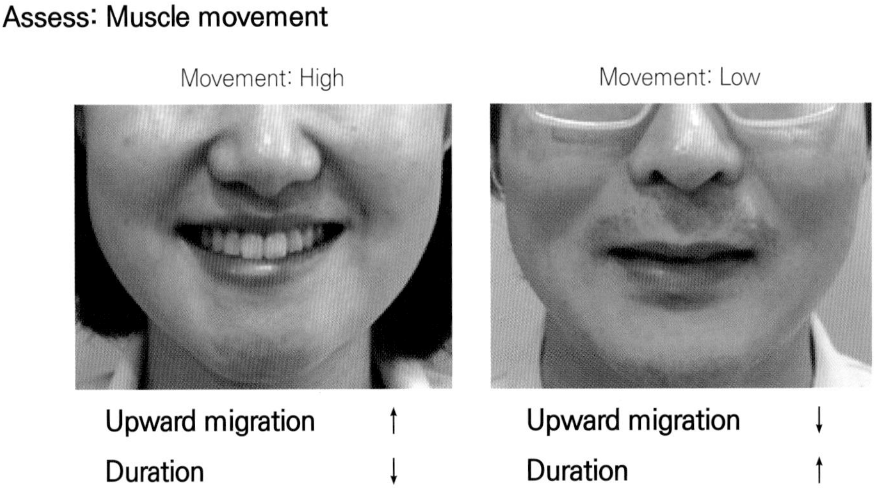

Assess: Muscle movement

Figure 5-22. Lip levator muscle

5) 해당 부위 부작용 및 해결법

가장 큰 부작용은 팔자라인을 따라 주행하는 facial artery 필러 주입에 의한 피부괴사이다. Facial artery를 피하는 방법은

(1) 깊이 조절

facial artery를 피하기 위해서는 subdermal or supraperiosteal level로 주입한다.

(2) 부드럽게 주입

혈관에 캐눌라가 puncture되어 혈관을 막게되는 것은, 인턴 시절 IV할 때와 비슷하다고 생각하면 된다. IV 시 혈관을 고정시키기 위해 조직을 스트레칭시키고, 바늘을 abrupt하게 주입했던 것을 기억하면, 혈관을 피하기 위해서는 이와 반대로 부드럽게, 천천히 주입하면 혈관주입 가능성을 줄일 수 있다.

팔자주름 시술 한 눈에 비교하기

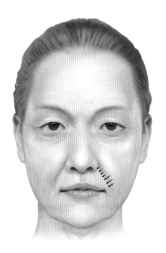

백형익-팔자주름

이용우-팔자주름

윤춘식-팔자주름

	백형익	이용우	윤춘식
주사기/캐뉼라	주사기 30 G 캐뉼라 23 G	주사기 23 G 1.25 inch	주사기 27 or 30 G 캐뉼라 23 G
한쪽당 주입량	주사기 0.2 cc 캐뉼라 1 cc	0.5-1 cc	1-2 cc
필러 강도(G*) 선택 : 더채움필러 No.1,2,3,4 [판매사: 휴젤(주)] 기준	주사기 : 넘버 1 캐뉼라 : 넘버 3	넘버 3	주사기 : 넘버 3 캐뉼라 : 넘버 4
마취방법	국소리도케인	국소리도케인	마취연고

주입 테크닉	1. Fern or bridging technique
	2. Fan technique
		bolus 테크닉	1) Needle : Vertical injection
			   technique (Kisses technique)
			2) Cannula :
			   Fan technique + Liner
			   threading technique

주입층	superficial dermis 골막위(ristow's space)	A층인 뼈 바로 위에 가장 많이 주입하고 추가적으로 볼륨이 더 필요한 경우에는 B층에도 추가 주입한다	Subcutaneous & Supraperiosteal

chapter 06

마리오넷 라인,
입가주름

이용우

마리오넷 라인

1. 디자인

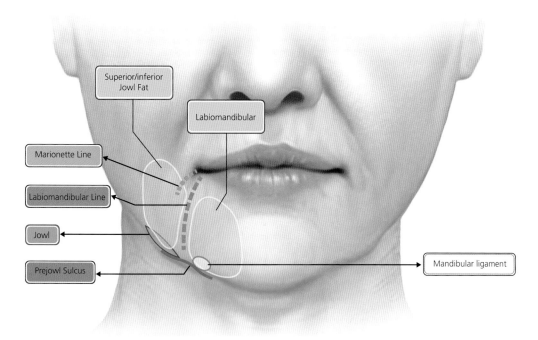

Figure 6-1. 해부학적 경계

2. 마취

마리오넷 라인이 끝나는 턱 아래쪽 피부의 자입점에 리도카인 마취를 시행한다.

3. 시술법

1) Needle vs Cannula

23 G 주사바늘로 아래에서 위쪽으로 피하지방층에 필러를 주입한다. 마리오넷 라인 안쪽으로도 꺼짐이 심한 환자들에게는 라인 안쪽으로 삼각형 모양의 꺼진부위에 전반적으로 필러를 넣어주는 것도 효과적이다.

2) 주입 볼륨

이 부위의 경계가 생기는 원인은 마리오넷 라인의 안쪽의 볼륨 꺼짐도 원인이지만 라인 바깥쪽의 연조직이 안쪽으로 흘러오는 것도 중요한 이유이다. 마리오넷 라인의 바깥쪽의 볼륨을 지방흡입이나 리프팅을 통하여 줄여주는 것을 우선적으로 생각해보아야 하며 그러한 처치 이후의 라인 안쪽의 꺼진 부위의 볼륨을 채우는 것이 중요하다. 피하지방 층이 주된 필러 주입의 위치이지만 꺼짐이 심한 환자의 경우에는 근육 아래의 깊은 층에도 필러 주입이 시도될 수 있다.

3) 시술 시 주의 사항

마리오넷 라인의 바깥쪽의 늘어진 피부 교정이 없이 안쪽 부위만을 필러로 채우려 한다면 과도하게 필러가 들어갈 수가 있고, 턱 라인은 개선될지 몰라도 얼굴 아래쪽에 연조직이 몰리게 되어 미적으로 원치 않는 결과를 가져올 수 있다.
그렇기 때문에 이 부위는 다른 치료와 동반치료 하는 것이 이상적이라 생각한다.

4) 해당 부위 부작용 및 해결법

이 부위는 합병증이 자주 나타나는 부위는 아니다. 얼굴동맥이 생각보다 깊이 위치하기에 혈관 손상을 줄 가능성도 적으며 주변의 혈관이 잘 분포되어 있어 피부 괴사와 같은 합병증의 가능성도 거의 없다. 또한 눈과의 거리도 멀기에 시각합병증과도 연관이 먼 부위이다.

입가주름

4. 디자인

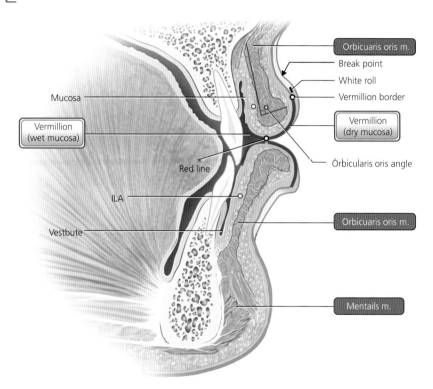

Figure 6-2. 단면도

5. 마취

필러를 입술 바깥쪽에 넣는 경우에는 입술 양쪽 끝 자입점에 리도카인 마취를 시행한다.
필러를 입술 안쪽에 넣어서 입술을 전반적으로 돌리는 경우에도 입술 안쪽에 리도케인으로
양쪽 끝에 마취를 시행한다.

6. 시술법

1) Needle vs Cannula

23 G나 25 G 주사바늘을 입술 중앙 부위로 진입한 뒤 주사바늘을 빼면서 필러를 주입한다.

2) 주입 볼륨

입술 바깥쪽에 필러를 넣을 때는 홍순(vermilion) 경계를 부풀려서 직접적으로 효과를 보게
할 수 있으며 이 경우에는 상대적으로 적은 양의 필러가 주입된다. 하지만 입술 안쪽에 필러
를 넣을 때는 홍순의 안쪽 점막(wet mucosa) 바로 아래 필러가 위치하여 입술을 전반적으로
뒤집어지게 만들 수 있다. 이 경우에는 바깥쪽에 주입할 때보다 2배 정도의 필러가 필요하다.

3) 시술 시 주의 사항

입술은 보통 바깥쪽 홍순 경계에 필러를 주입하지만 안쪽에서 넣는 경우도 있다. 그림 1의 윗
입술 각도를 보면 정상 입술은 살짝 꺾여 있는 부위가 존재하며 입술이 꺾이게 되면서 홍순의
노출이 많아 보이고 그것이 정면에서 봤을 때 입술의 두께가 되는 것이다. 입술의 꺾임은 나
이가 들면서 점점 감소하고 평평해지기 때문에 평평해진 입술을 앞쪽으로 돌리려면 점막쪽의
홍순에 필러를 주입하는 것이 효과적이고, 피부쪽의 홍순의 볼륨만을 증가시키려면 바깥쪽으
로 필러를 주입하는 것이 좋다.

4) 해당 부위 부작용 및 해결법

이 부위는 혈액순환이 좋아서 피부괴사와 같은 합병증이 생길 가능성이 적으며 눈쪽의 혈관
과도 거리가 있어 시각합병증과의 가능성도 극히 드물다. 입술 주위에 시술 후 주변 가는 혈
관을 손상시켜 생기는 멍은 금방 회복이 되나 이러한 혈관을 찌르지 않기 위해서는 얼굴 동맥
의 분지인 상구순동맥(superior labial artery)과 하구순동맥(inferior labial artery)이 주로
어디로 지나는지를 알아야 한다. Figure 6-2에서 보면 두 동맥은 거의 입둘레근(orbicularis
oris muscle)의 뒤쪽으로 지나며 상구순동맥은 입술이 닿는 부위에 가깝게 필러를 주입하는
높이와 비슷한 곳을 지나며 하구순동맥은 상대적으로 조금 더 아래에서 멀리 주행한다. 그렇
기 때문에 아랫입술보다는 윗입술에 필러를 주입할때 이러한 혈관손상에 신경을 써야 할 것

이며 특히 피부쪽이 아니라 점막쪽에서 주사를 주입할 때 주의해야 할 것이다.

참고문헌

1. Mendelson B, Wong CH. Changes in the facial skeleton with aging: implications and clinical applications in facial rejuvenation. Aesth Plast Surg. 36:753, 2012.

2. Gierloff M, Stohring C, Buder T, et al. The subcutaneous fat compartments in relation to aesthetically important facial folds and rhytides. J Plast Reconstr Aesthet Surg. 65:1292, 2012.

3. Penna V, Stark G, Eisenhardt SU. The aging lip: a comparative histological analysis of age-related changes in the upper lip complex. Plast Reconstr Surg. 124:624, 2009.

4. Roerich RJ, Pessa JE. The anatomy and clinical implications of perioral submuscular fat. Plast Reconstr Surg. 124:266, 2009.

5. Tansatit T, Apinuntrum P, Phetudom T. A typical pattern of the labial arteries with implication for lip augmentation with injectable fillers. Aesth Plast Surg. 38:1083, 2014.

백형익

입꼬리 부분에서 턱쪽으로 내려가는 여러 형태의 주름을 팔자주름의 경우와 마찬가지로 하나의 통일된 용어로 사용하기에는 무리가 있다.

왜냐하면 입가 주변에서 생기는 주름의 방향, 깊이, 형태가 주변 해부학적인 여러 인자에 이해서 다양하게 나타나기 때문이다.

필자는 이러한 주름에 대해서 분류를 하고자 한다.

먼저 주름 중 주름을 경계로 좌우에 계단형태의 언덕과 골이 없으면 line이라고 하고 있으면 fold라고 용어를 통일시키고자 한다.

크게 두 가지로 분류할 수 있는데 첫번째는 팔자주름이 턱쪽으로 연장된 형태를 띄면서 oral commissure에 연결되지 않고 방향이 턱끝쪽으로 내려가는 주름은 Nasolabial fold 의 extended type으로 분류를 할수 있다(Figure 6-3).

두 번째는 oral commissure에서 mandible 쪽으로 내려가는 주름을 labiomandibular fold 또는 lines라고 분류하고 이 중 입꼬리에서 턱쪽으로 내려오는 주름의 방향이 외측으로 내려가는 즉 전형적인 마리오넷 라인 또는 fold가 이에 해당되며(Figure 6-4), 주름의 주된 원인이

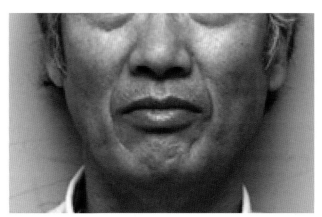

Figure 6-3. Extended type of Nasolabial fold

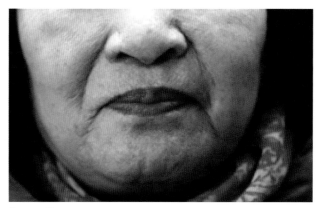

Figure 6-4. Typical marionette lines

buccal fat 또는 superficial jowl fat에 의해서 fold처럼 보이는 pseudo-marionette fold가 두 번째 분류에 속한다(Figure 6-5).

연관된 해부학적 인자로 가장 큰 역할을 하는 것은 Depressor anguli oris(Figure 6-6)이며 그 외에 Zygomaticus Major muscle의 bifid type, Platysma, Risorius, Buccal fat pad, Superficial jowl fat, skin laxity 등이 있다.

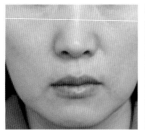
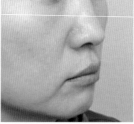

Figure 6-5. Pseudo-marionette fold

Figure 6-6.
Location & shape of Depressor anguli oris

1. 디자인

다양한 형태의 입주변의 주름이 있을 수 있으며 각각에 대해서 디자인과 시술방법은 달라져야 한다.

여기서는 Oral commissure에서 mandible 경계부위로 내려가는 일반적인 마리오넷 라인에 대해서 설명을 하겠다.

많은 경우에서 superficial jowl fat에 의해서 계단형태의 턱이 존재하며 Figure 6-7과 같이 사각형모양의 함몰된 부위를 표시할 수 있으며 prejowl sulcus부위를 타원형으로 표시한다.

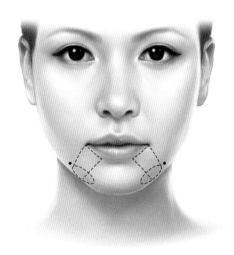

Figure 6-7. Design for correction of marionette fold & depressed prejowl sulcus

2. 마취

마취는 피부표면 마취크림과 부분마취로 시행이 되며 1:200,000 에피네프린이 포함된 1% 리도카인을 한 군데의 자입점을 포함하여 필러가 주입될 layer에 주사한다.

3. 시술법

1) 23게이지 50 mm 길이의 캐뉼라를 이용하여 볼륨을 증대시킬 목적의 적절한 필러를 한 군데
의 자입점을 통해서 사각형모양의 마리오넷 라인 부위와 prejowl sulcus를 fan technique으
로 주입한다(Figure 6-8).

자입점의 위치는 마리오넷 라인에 대해서 약간 안쪽 또는 약간 바깥쪽으로 mandible 경계 부
위에 정할 수 있는데 시술하기에는 안쪽보다는 바깥쪽이 더 편하다.

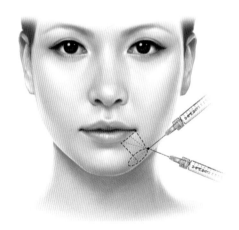

Figure 6-8.
1. 자입점의 위치
2. 23 G 50 mm blunt cannular를 이용하여 필러를 주입하는 모습
3. Fan technique, retrograde technique을 이용하여 시술

마리오넷 라인을 개선시키기 위한 필러를 주입하는 층은 inferior labial artery와 mental
nerve의 손상을 피하기 위해서 피하지방층에 주사하는 것이 좋다.

피하지방이 적을 경우에는 가장 상층에 위치한 표정 근육 중 하나인 Depressor anguli oris
muscle의 하방에 필러를 주입할 수 있지만 위에서 언급한 혈관과 신경의 손상에 주의해야 한
다. prejowl sulcus를 개선시키기 위한 필러의 안전한 층은 골막위와 피하지방층 두 곳 모두
가능하다.

캐뉼라를 목적하는 위치에 도달시킨 후, 뒤로 빼면서 소량씩 필러를 주입시키는데 부드러운
캐뉼라의 조작이 필요하다. 왜냐하면 출혈의 가능성이 높은 부위이며 멍이 많이 들 수 있기

때문이다.

팔자주름과 마찬가지로 마리오넷 라인도 웃거나 말할 때 길이가 길어지고 깊이도 깊어지는 동적주름과 연관이 있는 부위이기 때문에 진피층에 적절한 필러(예: Restylane vital)를 사용하는 것은 그 아래층에 사용한 필러의 양을 줄이는 데도 도움될 수 있다.

30게이지 니들의 bevel을 아래로 하여 진피의 상층에 Fern technique의 일부 또는 Bridging technique을 사용하여 주사를 한다(Figure 6-9).

superficial jowl fat 또는 Deep fat compartment인 buccal fat에 의한 계단형의 굴곡이 있을 경우 마리오넷 라인에 대해서 수직으로 라인에서부터 라인의 안쪽으로 니들을 위치시킨 후 뒤로 빼면서 아주 소량 주사한다.

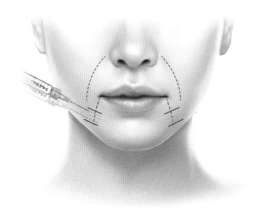

Figure 6-9.
1. Soft filler를 사용
2. 30 G sharp needle을 이용하여 superficial dermis에 필러를 주입
3. Fold가 있는 곳은 marionette lines 보다 안쪽에서 시작하여 필러를 주입
4. 주름만 있는 곳은 marionette lines 보다 바깥쪽부터 시작하여 bridging technique으로 필러를 주입

계단형의 굴곡이 없으면서 표정을 지을 때마다 생기는 동적 주름에 대해서는 bridging technique으로 시술한다.

시술이 끝나면 티스푼 또는 롤러를 이용하여 마사지를 해서 lump가 생기지 않도록 해준다.

lateral lip compartment가 함몰된 경우가 동반된 경우에는 Restylane vital을 30게이지 니들로 마리오넷 라인에서 안쪽으로 진피하층에 주사한다.

입가 주변에는 zygomaticus major, risorius, platysma, depressor anguli oris muscle에

의한 다양한 smile line이 생길 수 있다.

이들 주름은 주로 동적 주름으로 표정을 지을 때나 말할 때 보이는 주름이며 오래된 주름은 무표정일때도 관찰이 된다.

이 동적주름은 다양한 시술방법으로 개선시킬 수 있는데 30게이지 니들을 이용해서 Restylane vital과 같은 필러를 수직으로 진피에 주사하는 방법이 있다. 피부가 얇고 피하지 방이 적은 사람의 경우에는 27게이지 캐뉼라를 이용하여 Restylane vital과 같은 필러를 가능한 진피하에 주름의 수직방향으로 주사해 개선시킬 수 있다.

2) 주입볼륨은 한쪽 마리오넷라인과 prejowl sulcus의 볼륨 증대를 위한 볼륨필러의 양은 총 1 cc 내외로 한다.

진피 내 주입한 필러의 양은 총 0.3 cc 내외로 한다.

3) 경과 및 시술 전후 사진

시술 후 1주일 이후에 부족한 진피 내 필러 주사를 보완해준다.

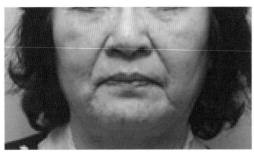 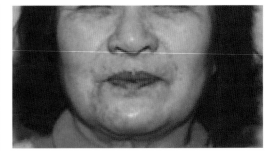

Figure 6-10. 마리오넷 주름 전후 사진

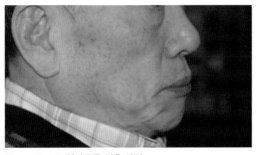 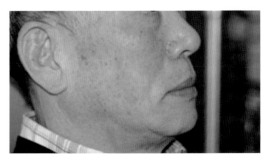

Figure 6-11. 입자주름 전후 사진

4) 시술 시 주의사항

눈주변과 더불어서 필러시술 시 가장 멍이 잘드는 부위에 해당하기 때문에 진피 내 필러를 주사할 때 외에는 캐뉼라를 사용하는 것을 권장하며 캐뉼라를 사용하더라도 부드러운 조작을 해야 한다.

진피 내 주사하는 필러의 양이 많아지면 오랫동안 유지가 되는 lump가 생길 수 있으므로 한 번 시술로 끝내려는 것보다는 아주 소량을 주사한 후 일주일 뒤에 보충하는 방법을 선택하는 것이 좋다.

5) 해당부위 부작용

inferior labial artery의 손상 또는 혈관 내 주입에 의한 부분괴사와 mental nerve의 손상 가능성이 있지만 발생빈도는 매우 낮다.

멍이 잘 드는 부위이기 때문에 특히 조심스러운 시술이 요구된다.

참고문헌

1. Joel EP, Vikram PZ, Peter AG, Erle KA, Adriane ID,Jaime RG, Double or bifid zygomaticus major muscle: anatomy, incidence and clinical correlation, Clin. Anat. 1998; 11:311

윤춘식

Marionette line의 원인

1. Mandibular retaining ligament: mandibule에서 피부로 insertion하는 true ligament 인 mandibular retaining ligament가 있어 line의 상방 조직이 더 밑으로 내려오지 못하고 folding이 되면서 발생한다.

2. Buccal fat의 하방이동: buccal space안에 buccal fat을 지지하고 있는 platysma와 masseteric cutaneous ligament가 loosening되면서 하방으로 이동되면서 line 상방조직의 볼륨을 더 증가시켜 line을 더 깊어 보이게 만든다(Figure 6-12).

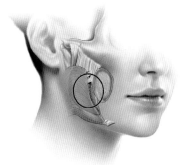 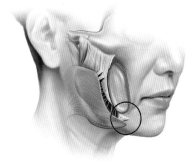

Figure 6-12. Jowl, Marionette line & Prejowl sulcus

3. Superficial fat의 하방 이동: 팔자주름 상방의 nasolabial fat처럼 jowl fat도 나이가 들어 감에 따라 하방으로 이동해서 line을 더 깊어 보이게 만든다.

4. Bone absorption: Mandibular retaining ligament가 부착되어 있는 mandibule의

bone absorption이 더 많기에 이 부위의 prejowl sulcus가 더 깊어지고, 이에 의해 line 이 더 깊어지게 된다.

5. Labiomandibular fat의 볼륨 감소: line 안쪽의 labiomandibular fat의 볼륨이 감소한다.

* 입가주름의 원인

팔자주름 옆에 팔자주름과는 별개의 팔자의 구각에 붙은 주름과 평행한 주름들이 있다. 발생 원인은 lip elevator muscle과 risorius muscle의 지속적인 움직임에 의해 발생한다.

1. Surface anatomy

1) 입가주름은 팔자주름 외곽에 발생하는 fine line을 말한다.

2) Marionette line은 lip commissure에서 prejowl sulcus로 연결되는 주름이다(Figure 6-13).

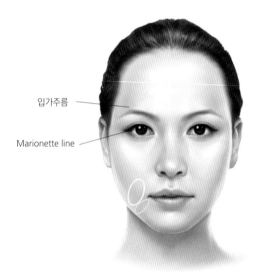

입가주름

Marionette line

Figure 6-13. Surface Anatomy: 입가주름 및 Marionette line

2. 디자인

활짝 웃은 상태에서 입가주름과 Marionette line이 더 잘 파악되기 때문에 디자인은 웃는 상
태에서 하는 것이 정확하다.

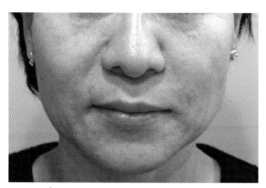 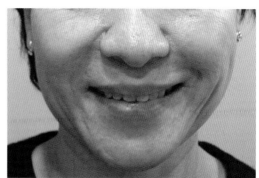

Figure 6-14. 입가주름과 Marionette line: 디자인

3. 마취

별도의 Lidocaine 주사마취 없이 EMLA 마취만으로 시행하고 있다.

4. 시술법

1) Needle or Cannula

저자의 경우는 입가주름과 Marionette line의 경우 거의 대부분 Needle을 사용해서 시술하
며, Vertical injection technique으로 주입한다.

2) 시술 깊이

facial artery를 피하고 dermal wrinkle을 없애기 위해 subderma layer(피방지방층 상부)와
deep dermis 깊이에 주입한다.

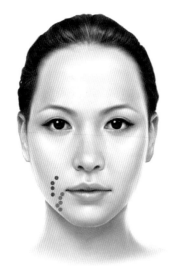
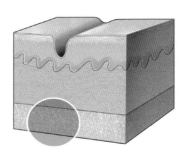

Figure 6-15. 입가주름 & Marionette line: Kisses technique

5. 주입 볼륨

깊이에 따라 다르지만 한쪽당 평균 1-2 cc를 주입한다

6. 경과 및 시술 전후 사진

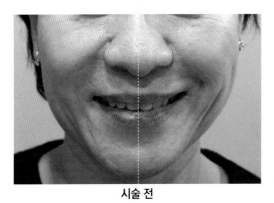

| 시술 전 | 시술 후 5주 |

Figure 6-16. 입가주름과 Marionette line

Rt : Elavie light (20 mg/cc) : 1.4 cc
Lt : Belotero balance (22.5 mg/cc) : 1.4 cc

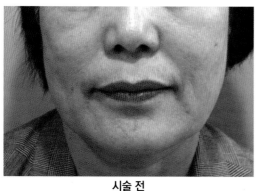

| 시술 전 | 시술 후 |

Figure 6-17. 입가주름과 Marionette line

Belotero balance : 1 cc/side, Belotero intense : 0.3 cc/side

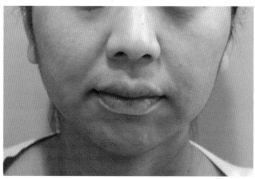 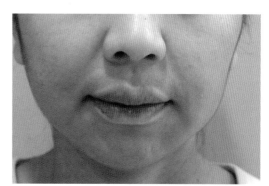

| 시술 전 | 시술 후 |

Figure 6-18. Marionette line

Belotero balance : 2.2 cc/side, Belotero intense : 0.7 cc/side

7. 시술 시 주의 사항

멍이 잘 발생하는 부위이기에 intradermal 혹은 subdermal layer를 정확히 목표로 해서 주입하는 것이 멍을 적게 발생시키는 방법이다.

8. 해당 부위 부작용 및 해결법

입가주름의 경우는 facial artery가 근육의 보호 없이 피하층으로 노출되어 얕게 진행하는 부위인 facial artery의 winding portion이 있는 부위라서, 주입 깊이는 deep dermis 혹은 subdermal layer로만 주입해야 한다.

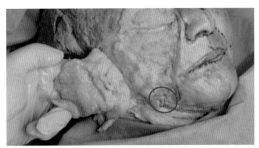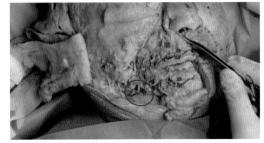

Figure 6-19. Facial artery: Winding portion

김현조

1. 디자인

Marionette Lines은 일반적으로 Depressor Anguli Oris m. (Figure 6-20)의 Insertion, 그 주변 진피의 노화 그리고 Fat Volume의 이동 및 변화로 인해 발생하는 것으로 알려져 있다. 반면 Perioral Wrinkles은 Orbicularis Oris m.과 그 상부 진피의 노화로 인해 발생하는 것으로 생각되고 있다.

Marionette Lines교정을 위해서는 내측 부위 volume이 감소되어 있는 부위를 중심으로 필러가 주입될 부위를 디자인한다(Figure 6-21).

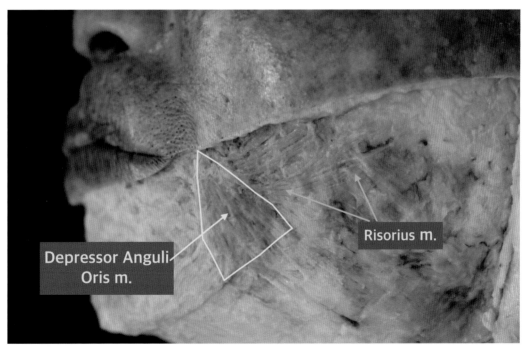

Figure 6-20. Marionette Lines 주변부 근육들

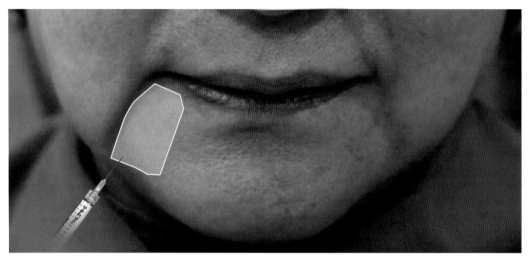

Figure 6-21. Marionette Lines 필러 시술 방법

Perioral Wrinkle은 Static & Dynamic Wrinkles이기 때문에 이 두 가지를 모두 고려하여 Volume이 감소한 부위는 필러를 주입하고, 동시에 움직임이 많은 부위는 보툴리눔 톡신을 이용하여 그 움직임을 줄여주는 방법으로 교정한다.

2. 마취

Marionette Lines교정의 경우에는 대부분 연고 마취로도 충분하나 Perioral Wrinkle 교정의 경우에는 Infraorbital Nerve and Mental Nerve Block이 필요하다.

3. 시술법

1) Needle vs Blunt Tip Microcannula

Marionette Lines과 Perioral Wrinkle 교정지 필자는 Needle을 선호한다. Marionette Lines교정 시 주입레벨은 subcutaneous fat 또는 periosteum 레벨 모두 가능하나, Periosteum level로 주입하는 경우 약 20~30%의 필러가 더 주입이 되어야 한다.

Perioral Wrinkle을 필러로 교정하는 경우, Vermilion border를 따라 Subcutaneous level 로 주입을 해주고 보툴리눔 톡신은 Vermilion border를 따라 약 1 cm 간격으로 0.5~1 unit

를 주사한다.

2) 주입 볼륨

Marionette Lines 교정의 경우에는 일반적으로 편측당 0.5~1 cc의 필러가 주입이 되며, Perioral Wrinkle의 교정 시 필러주입은 Lip augmentation 시술과는 달리 많은 양의 필러 주입이 필요하지는 않다. 오히려 많은 양의 필러가 Vermilion border를 따라 주입이 되는 경우 irregularity를 초래해 미용적으로 만족스럽지 않은 결과를 가져오게 된다.

Perioral Wrinkle은 주로 윗입술에 많이 동반되므로 윗입술의 Vermilion border를 따라 주입하는 경우 0.3~0.5 cc의 필러로 교정이 가능하다.

3) 경과 및 전후 사진

Subcutaneous Fat Level로 필러를 주입하여 Marionette Lines을 교정한 증례이다(Figure 6-22).

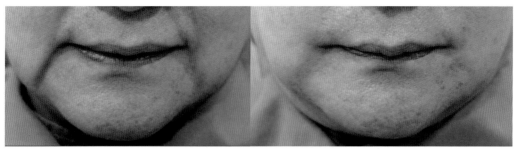

Figure 6-22. Marionette Lines 필러 시술 전후

4) 시술 시 주의 사항

Marionette Lines필러 교정 시 주의해야 할 혈관은 Inferior Labial Artery로서 Depressor Anguli m.과 Depressor Labii Inferioris m. 사이로 주행을 한다. 이의 손상을 피하기 위해서는 주입 level을 Subcutaneous or Periosteum Level로 정해야 한다(Figure 6-23).

Upper Lip에 필러를 주입하는 경우 Superior Labial artery가 Orbicularis Oris m. 후방으로 주행하기 때문에 이의 손상을 피하기 위해서는 Orbicularis Oris m. 또는 그 전방으로 필러를 주입하여야 하며(Figure 6-24), Orbicularis Oris m. 후방으로 필러를 주입하는 경우

Superior Labial a.의 손상을 유발할 가능성이 있다(Figure 6-25).

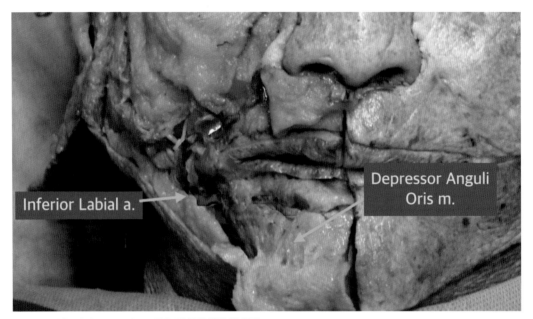

Figure 6-23. Marionette Lines 시술 시 주의 해야 할 혈관

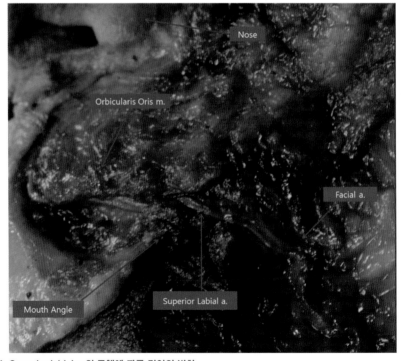

Figure 6-24. Superior labial a.의 주행에 따른 깊이의 변화

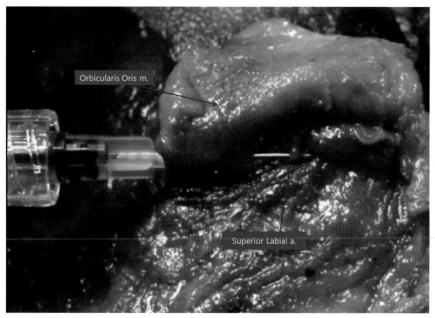

Figure 6-25. Superior labial a.의 주행에 따른 깊이의 변화

참고문헌

1. New anatomical insights on the course and branching patterns of the facial artery: clinical implications of injectable treatments to the nasolabial fold and nasojugal groove. Yang HM, Lee JG, Hu KS, Gil YC, Choi YJ, Lee HK, Kim HJ. Plast Reconstr Surg. 2014 May; 133(5):1077-82.

2. Gregory LaTrenta. Atlas of Aesthetic Face and Neck Surgery. New York. SAUNDERS 2003

3. Anatomy-based image processing analysis of the running pattern of the perioral artery for minimally invasive surgery. Lee SH, Lee M, Kim HJ. Br J Oral Maxillofac Surg. 2014 Oct;52(8):688-92.

마리오넷 라인 시술 한 눈에 비교하기

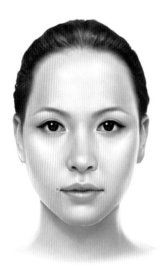
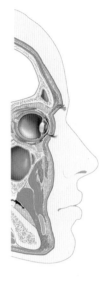

이용우-마리오넷 라인

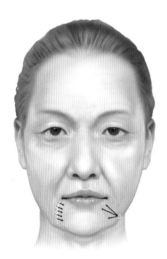

백형익-마리오넷 라인

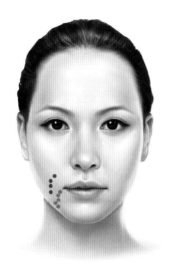

윤춘식-마리오넷 라인, 입가주름

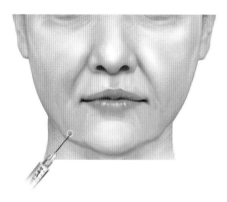

김현조-마리오넷 라인

마리오넷 라인

	이용우	백형익	윤춘식	김현조
주사기/캐뉼라	주사기 23 G	주사기 30 G 캐뉼라 23 G	주사기 30 G	주사기 27 G, 13 mm
한쪽당 주입량	0.5 cc 이내	주사기 0.2 cc 캐뉼라 1 cc	1-1.5 cc	0.5-1.5 cc
필러 강도(G*) 선택 : 더채움필러 No.1,2,3,4 [판매사: 휴젤(주)] 기준	넘버 2	주사기 : 넘버 1 캐뉼라 : 넘버 3	넘버 1 or 2	넘버 2 or 3
마취방법	국소리도케인	국소리도케인	마취연고	마취연고
주입 테크닉	bolus 테크닉	1. Fern or bridging technique 2. Fan technique	Vertical injection tech (Kisses technique)	Linear Threading and Fan Technique
주입층	이 부위는 입안 점막이 있는 부위이기 때문에 너무 깊히 찌르면 입안으로 바늘이 들어갈 수 있다. 따라서 표면에 울퉁불퉁함이 생기지 않을 정도의 깊이의 깊은피하지방에 주사한다.	1. superficial dermis 2. 골막위	Deep dermis or subdermal layer	Periosteum or Subcutaneous layer

입가주름

	이용우	백형익	윤춘식	김현조
주사기/캐뉼라		주사기 30 G		주사기 33 G 니들
한쪽당 주입량		0.5 cc		0.5-0.8
필러 강도(G*) 선택 : 더채움필러 No.1,2,3,4 [판매사: 휴젤(주)] 기준	마리오넷라인과 동일	넘버 1	마리오넷라인과 동일	넘버 1 or 2
마취방법		마취연고		마취연고
주입 테크닉		Fern or bridging technique		Linear Threading and Bolus(Point) Injection
주입층		superficial dermis		Subcutaneous layer

chapter **07**

코

임이석

1. 디자인

시술 전 코의 모양을 잘 관찰하여 코뼈의 돌출 여부를 미리 확인하는 것이 중요하며, 시술 전 시진과 촉진을 통해 뼈 구조와 코 모양을 파악한 후 시술해야 하고, 콧등 전체를 시술할지, 코 뿌리 또는 코끝만 시술할지를 미리 환자와 상담한 뒤 시술한다.

2. 마취

마취제가 들어간 필러를 주로 사용하므로 국소마취연고제만으로 마취를 하거나, 캐뉼라 사용 시에는 자입부만 리도케인으로 마취한다.

3. 시술법

1) 캐뉼라 및 주사기의 선택

23 G, 5 cm 길이의 비교적 단단한 캐뉼라를 사용한다. 너무 가는 캐뉼라나 긴 길이의 캐뉼라 의 경우 핸들링이 어렵기 때문이다.

코뿌리나, 콧볼 등 일부를 시술하는 경우도 많은데 이 때에는 0.3 cc 인슐린시린지를 사용한 다. 코뿌리에 인슐린시린지를 사용하는 경우 시술자가 원하는 깊이, 즉 뼈막위에 주사바늘을 직접 위치시킬 수 있어 비교적 안전하게 시술할 수 있으며 또한 소량을 정교하게 주입할 수 있다는 장점이 있다.

2) 필러의 종류 및 주입 볼륨

코부위에는 수정이 가능하도록 히알루론산 필러를 사용하며 상대적으로 단단함을 보이는 입자가 큰 biphasic 히알루론산 필러를 사용하는 경우가 있지만 필러 재질에 따라 성질이 다르므로 본인이 쓰기 편한 적절한 필러를 선택할 수 있다.

콧등 전체를 주입할 때에는 0.3~0.7 cc 정도, 코뿌리만 주입할 경우에는 0.2~0.4 cc, 코끝만 주입하는 경우에는 0.1~0.2 cc 정도 주입하나, 개인에 따라 다르다.

3) 부위별 시술

(1) 콧등 전체

자입부에 리도케인 마취를 한 뒤 180도로 환자를 눕히고 시술한다. 23 G, 5 cm 길이의 캐뉼라를 사용하며 첫 자입을 코끝에서 시작하고 코뿌리 쪽으로 진행한 뒤, 필러 주입은 코뿌리밑점(sellion)부터 시작하여 코끝쪽으로 선형후진주사법을 사용한다. 주사기를 들지 않은 손의 손가락으로 필러가 원하는 부위에 들어가는 것을 확인하며 주입하고 깊이는 뼈막위에 들어가도록 한다. 비골과 비연골부의 접합부를 지날 때는 주사기를 잡은 손을 최대한 위로 들어올려 코뿌리로 들어갈 때 뼈 위로 주사바늘이 위치할 수 있도록 한다. 이는 간혹 혈관에 들어가서 괴사나 실명 등의 위험을 일으키는 경우를 예방하기 위함이며 코 뼈의 돌출이 있는 경우에는 돌출 부위를 제외한 위아래 부위를 나누어 시술하는 것이 좋다.

(2) 코뿌리가 낮은 코

0.3 cc 인슐린주사기를 사용한다. 코뿌리 부분 중 원하는 부위에 수직으로 자입하고 주사기 끝이 뼈에 닿은 뒤 필러를 주입하여 뼈막위의 깊은지방층에 위치하도록 한다. 코뿌리 피부는 얇고 SMAS 층과 강하게 결합되어 있지 않기 때문에 여유가 있는 편이므로 뼈막 위에 주입하면 국소괴사의 위험도를 줄일 수 있다. 바늘을 찌른 후 밀대를 잡아당겨 피의 역류와 출혈 여부를 확인 후 필러를 주입한다.

(3) 코 끝

콧등 전체를 시술하는 것처럼 23 G, 5 cm 길이의 캐뉼러를 사용하며 lower lateral

cartilage의 사이에 주입하며 연골막위에 필러가 들어가도록 한다. 코끝의 피부는 코뿌리와 달리 두껍고 SMAS 층과 강하게 결합되어 있으므로 필러의 양이 많아져 압력이 가해지면 국소괴사가 발생하기 쉽다. 따라서 필러의 양을 너무 많이 넣지 않도록 주의해야 한다.

4) 시술 시 주의 사항

코 시술 시 혈관의 해부학을 잘 알아야 한다. 코 부위는 피부, 얕은 지방층, 섬유근육층, 깊은 지방층 및 뼈막, 연골막으로 구성되어 있고 이 중 섬유근육층은 얕은 및 깊은 지방층 사이에 위치하고 얼굴을 싸고 있는 SMAS의 개념으로 코 주위의 근육들과 연결된다. 코에 분포하는 주된 혈관들은 섬유근육층에 같이 주행하는 것으로 알려져 있다. 따라서 필러 주입 시 섬유근육층보다 깊은 지방층에 주사를 해야 필러의 혈관 내 주입을 방지할 수 있다.

5) 해당 부위 부작용 및 해결법

최근 자주 발생하는 실명의 많은 원인을 코 필러 시술 시 dorsal nasal artery에 직접 주사된 필러가 안구 내 혈관으로 역류해서 생긴 것으로 보고 있다. 시술상의 미숙함, 환자의 혈관주행의 차이뿐만이 아니라 최근 보다 효과적으로 보이기 위해 필러를 얕게 주사하는 경우가 많아지면서 국소적 괴사 및 실명의 빈도가 증가하는 것으로 보인다. 필자는 안전하게 시술하는 것이 가장 중요하다고 생각하여 코 부위에서는 시술 깊이를 얕게 하지 않고, 반드시 뼈막 또는 연골막을 닿은 뒤 주입하고, 주사기를 들지 않은 반대편 손의 두 손가락으로 원하지 않는 부위로 필러가 나가지 않도록 막으면서 시술한다. 또한 모든 시술에서 밀대를 잡아당겨 피의 역류를 확인한 뒤 주입한다. 필러의 양을 한 번에 많이 넣지 않아야 하며 특히 코끝의 경우에는 절대로 많은 양이 들어가지 않도록 주의한다. 천천히 환자가 통증을 느끼는지 확인해가면서 피부 색의 변화가 있는지 관찰하며 시술한다.

참고문헌

1. Ozturk CN, Larson JD, Zins JE. The SMAS and fat compartments of the nose: An anatomical study. AesthPlast Surg. 37:11, 2013

2. Tansatit T, Moon HJ, et al. Safe Planes for Injection Rhinoplasty: A Histological Analysis of Midline Longitudinal Sections of the Asian Nose: Aesthetic Plast Surg. 40(2):236-44, 2016

3. 이수근, 보톡스와 필러의 정석, 한미의학, 2011

4. 김희진 외, 보튤리눔, 필러 임상해부학, 한미의학, 2015

이용우

1. 디자인

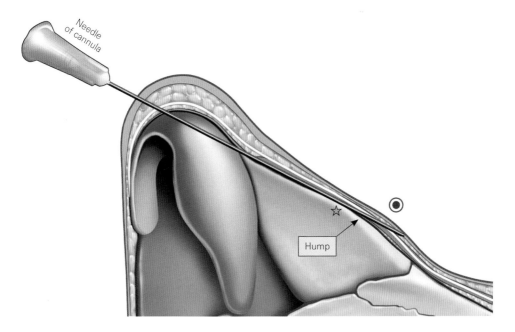

Needle of cannula

☆

→ Hump

◉

Figure 7-1. 단면도

2. 마취

코 끝에만 리도카인으로 마취를 시행하고 시술한다. 콧대에 직접 주사를 놓을 경우에는 위쪽에서 리도카인 마취를 한다.

3. 시술법

1) Needle vs Cannula

21~23 G 주사바늘을 사용하되 1.25~1.5인치 길이의 니들을 사용한다. 캐뉼라를 사용할 경우에는 4~5 cm 길이의 23 G를 쓴다. 결국 코 길이에 간신히 맞는 정도의 길지 않고 얇지 않은 주사바늘 캐뉼라를 사용하는데, 크게 두 가지 이유가 있다. 첫째는 너무 얇은 주사바늘을 사용하는 경우에는 코끝에서 위쪽으로 올라가면서 원하는 층으로 바늘 끝이 진입하기 어렵다. 주사바늘의 위치를 변경시키기 위해서는 주사기를 들어올려야 하는데 바늘이 얇은 경우에는 바늘이 휘어버려 원하는 층으로 주사하기 어렵다. 너무 긴 주사바늘을 사용하는 경우에도 같은 현상이 일어난다(Figure 7-1). 너무 얇지 않은 바늘이나 캐뉼라를 쓰는 이유도 이와 유사하며 또한 너무 얇은 바늘을 사용할 경우에는 혈관안에 바늘이 위치하여 필러를 혈관역류 시킬 수 있기에 그 위험을 줄이고자 두꺼운 바늘이나 캐뉼러를 사용한다.

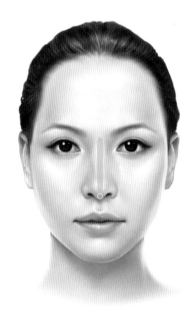

Figure 7-2. 디자인과 자입점

2) 주입 볼륨

콧등만 시술할 경우에는 0.4~0.7 cc 정도의 필러를 사용하며 코끝을 주입할 경우에는 0.1~0.3 cc 정도의 필러를 추가로 주입한다. 필러는 항상 연골막(perichondrium) 아래 넣는 것을 목표로 하며 추가로 주입이 필요한 경우에는 피하지방 층에 소량을 주입하기도 한다.

3) 시술 시 주의 사항

코 부위를 시술할 때는 험프(hump)가 있는 경우 항상 시술이 까다롭다. 이 경우 두 가지 방법이 있는데 첫번째는 험프 아래쪽으로는 코 끝 부위에 자입점을 잡고 시술하고 험프 위쪽으로는 비근부(nasal root)에서 아래쪽으로 필러를 주입하는 방법이다. 두 번째 방법은 위에서 설명한대로 너무 길거나 너무 얇지 않은 바늘이나 캐뉼라를 이용해 한번에 코 끝에 자입점을 잡고 시술하는 방법으로 이러한 경우 험프를 지나가면서 주사바늘 팁을 코 뼈 쪽으로 방향을 틀어 바늘이 얕은 층으로 이동하는 것을 막아야 한다. 또한 시술 후 필러가 강한 압박에 의해 퍼지게 되기 때문에 초반에 필러를 주입할 때 가능한 얇게 넣어주는 것이 좋다. 필러를 얇게 넣었을 때는 넓게 펴는 것이 쉽지만 그 반대과정은 거의 불가능하기 때문에 이 점을 신경쓰는 것이 좋다.

4) 해당 부위 부작용 및 해결법

코 부위는 시술 이후 피부괴사나 시력 손실과 같은 혈관 합병증이 자주 발생하는 부위 중 하나이다. 피부괴사가 자주 일어나는 이유는 코의 연조직의 바닥에 딱딱한 연골, 뼈와 같은 구조가 있기 때문에 필러 주입으로 인하여 조직에 가해지는 압력이 증가되기 때문이고 코 기저부(alar base)는 혈류 공급이 가쪽코동맥(lateral nasal artery)에서 주로 받기에 이 동맥이 막히게 되면 피부괴사가 되는 경우가 잦다. 또한 눈까지의 거리가 가깝기 때문에 얼굴동맥의 분지를 통해서 필러가 위로 올라가게 되면 금방 눈동맥(ophthalmic artery)까지 도달할 수 있다. 그렇기 때문에 이러한 혈관 합병증을 막기 위해서는 반드시 코 시술 시 혈관의 위쪽부위인 비근부 양쪽을 시술 반대쪽 손으로 누르고 시술하는 것이 안전하다. 또한 필러를 주입하는 동안 피부 색을 잘 관찰하여 혈류가 잘 유지되고 있는 것을 확인해야 할 것이며 코 끝(nasal tip)에 필러를 주입할 경우에 코 기저부에 혈류가 줄어드는 경우가 많기 때문에 코 끝에 필러를 주입할 때는 특히 주의를 기울여야 할 것이다.

참고문헌

1. Saban Y, Amodeo CA, Bouaziz D, et al. Nasal arterial vasculature. Arch Facial Plast Surg. 14(6):429, 2012.

2. Ozturk CN, Larson JD, Zins JE. The SMAS and fat compartments of the nose: An anatomical study. Aesth Plast Surg. 37:11, 2013.

3. Kim P, Ahn JT. Structured nonsurgical asian rhinoplasty. Aesth Plast Surg. 36:698, 2012.

4. Kurkjian TJ, Ahmad J, Roerich RJ. Soft-tissue fillers in rhinoplasty. Plast Reconstr Surg. 133:121e, 2014.

5. Ha RY, Nojima K, Adams WP, et al. Analysis of facial skin thickness: defining the relative thickness index. Plast Reconstr Surg. 115:1769, 2005.

코 시술 한 눈에 비교하기

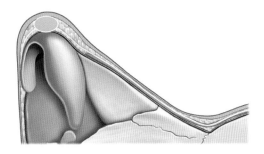

임이석-코

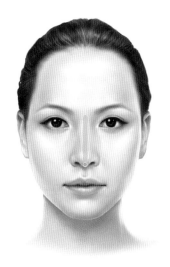

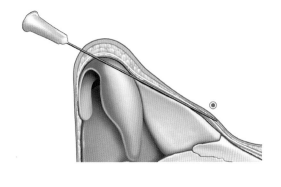

이용우-코

	임이석	이용우
주사기/캐뉼라	캐뉼라 23 G, 5 cm	캐뉼라 23 G, 5cm
한쪽당 주입량	0.3–0.5 cc	0.5~0.8 cc
필러 강도(G*) 선택 : 더채움필러 No.1,2,3,4 [판매사: 휴젤(주)] 기준	넘버 4	넘버 3
마취방법	마취연고	국소리도케인
주입 테크닉	선형후진주사법	bolus
주입층	골막위	A로 표시된 연골막위 & 골막 위에 넣는다. 코 끝부위나 supratip 부위를 더 채워야 할 경우에는 B 부위로 올라와서 (SMSAS) 위에 살짝 더 넣어주기도 한다.

chapter 08

입술

박정준

1. 시술 전 고려 사항

입술은 경계가 명확하고, 핑크빛 색깔에 윤기가 있으며, 아랫입술보다 윗입술이 앞으로 2 mm 정도 돌출되어 있는 것이 더 아름다워 보인다. 또한 측면에서 봤을 때 코기둥에서 입술에 이르는 선이 앞으로 나오는 곡선을 이루는 것이 더 아름답다. 하지만 나이가 들수록 입술은 경계가 모호해지고 잔주름이 많아지며, 측면에서의 윤곽선이 직선으로 평편해지는 경향이 있다.

윗입술과 아랫입술 볼륨의 비는 아랫입술의 볼륨이 약간 더 큰 1:1.5 정도가 좋다. 필러를 주입할 때에는 환자는 반쯤 앉은 자세에서 아랫입술을 먼저 주입하고 난 후 윗입술을 시술하는 것이 좋다.

주입하는 볼륨은 각각의 입술에 0.5-1 cc 이상을 한 번에 주입하지 않는 것이 좋다.

2. 해부학적 고려 사항

입술에 필러를 시술할 때 이용할 수 있는 입술의 층은 skin, subcutaneous fat 층, Orbicularis oris muscle 층, submuscular fat 층, mucosa로 나눌 수 있다(Figure 8-1).

입술은 정면에서 봤을 때, 입술 바깥쪽의 피부 부분과 안쪽의 점막부분(vermillion)으로 나눌 수 있다. 피부 부분과 점막 부분 사이의 경계를 white line이라고 한다. 점막 부분은 또 다시 바깥쪽의 dry mucosa와 안쪽의 wet mucosa로 구별하며, 그 사이를 dry-wet mucosal junction이라 부른다. Dermis층은 입술의 경계가 불명확하거나 노인에게 나타나는 smoker line을 개선시키기 위해 선택하는 층이다. White line을 따라서 이 층에 고운 필러를 주입하면 경계가 확실해지며 smoker line의 개선효과를 볼 수 있다. 하지만 philtral column을 따라서 acending philtral a.가 올라가기 때문에 주사바늘이 깊어지지 않도록 조심하는 것이 좋다. 입술의 피부 밑에는 subcutaneous fat 층이 있으며 위험한 구조물이 없어 보다 안전하게 시술을 할 수 있는 층이다. Subcutaneous fat 층 하방에 OOM층이 있다. OOM이 앞쪽으로 연장되어 점막에 붙는 부위가 Dry-wet mucosal junction이 된다. 젊은 사람의 경우에는 정중시상단면을 보았을 때 J자 형태로 입술이 eversion 되어 있으나 나이가 들수록 I형태로 일직선으로 평편해지게 된다. 입술의 근육 아래쪽과 입술 점막 사이에는 Subcutaneous fat 층이 있는데 이 층으로 윗입술동맥, 아랫입술동맥, 턱끝신경이 지나가며 입술샘이 있다. 필러 시술을 위해 중요한 점은 입술 동맥이 wet mucosa에 붙어있는 얇은 Subcutaneous fat 층을 통해서 지나간다는 것이다. Dry mucosa 쪽에서 주사바늘을 OOM층 하방까지 깊숙히 찌르는 경우 혈관이 손상될 수 있다. 특히 wet mucosa 쪽에서는 얇게 찌르더라도 입술 동맥이 점막에 가깝게 지나가기 때문에 혈관을 다칠 위험이 많으므로 조심해야 한다.

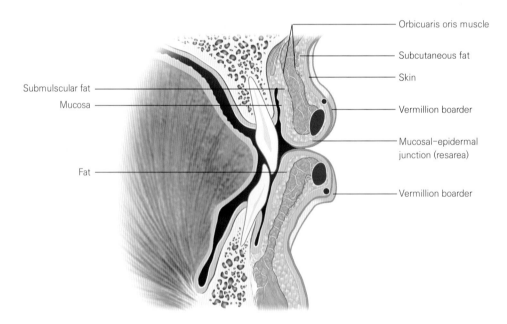

Figure 8-1. Sagittal section of the lip

3. 입술 시술 방법

1) 디자인

Oral commissure 근방

2) 마취

입술은 감각에 민감한 부위로 필러 주사 시에 통증을 심하게 느낀다. 따라서 시술 전에 연고 마취를 하거나 신경마취가 필요하다. 통증에 아주 민감한 환자의 경우 윗입술은 infraorbital nerve block, 아랫입술은 mental nerve block을 시행하면 보다 편안하게 시술할 수 있다.

3) 시술법

입술은 부드럽고 탄력이 있는 조직이며 민감한 부위이다. 그래서 입술에는 단단한 필러보다 는 입술의 조직과 잘 섞이는 부드러운 필러를 사용하는 것이 좋다. 볼륨을 확실히 채우기 위해 단단한 필러를 사용하면 울퉁불퉁해지거나 심한 이물감이 생길 수 있으므로 단단한 필러 는 피하는 것이 좋다.

입술 경계를 뚜렷하게 보완하기 위해서는 white line을 따라서 진피층 또는 진피밑층에 주사 를 하는 것이 좋다. 진피층에 cannula를 이용해서 필러를 주입하는 것이 쉽지 않기 때문에 needle을 이용하면 좋다(Figure 8-2).

전체적인 볼륨을 키워 입술의 비율과 모양을 개선시키기 위해서는 혈관 손상에서 보다 안전 한 cannula를 이용하는 것이 좋다. 주입점의 선택은 윗입술동맥과 아랫입술동맥이 지나는 곳 을 피하는 것이 좋다(Figure 8-2). 주입점을 oral commissure 근처에 잡고 cannula를 이용 한다. 입가에서 외측과 상방으로 그린 1.5 cm 사각형 안에서 Facial a.의 윗입술 동맥이 분지 되는 경우가 85% 정도라고 한다. 그래서 OOM층 하방까지 너무 깊게 찌르면 혈관에 손상을 줄 수 있으므로 조심하는 것이 좋다. 18 G needle을 이용하여 주입점에 puncture를 한 후 cannula를 dry mucosa 하방의 Subcutaneous fat 층을 따라 midline까지 진입한다. 그 후 에 linear threading & retrograde fanning technique으로 원하는 만큼의 필러를 천천히 주 입하며, 이 때 입꼬리 쪽이 불룩해지지 않도록 주의한다. 하지만 윗입술의 입꼬리가 얇은 아 랫입술을 덮는 경우에는 아랫입술의 입꼬리에 볼륨을 채워서 입꼬리가 내려가 보이는 것을

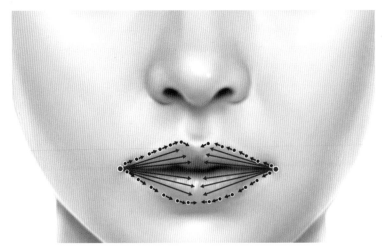

Figure 8-2. Filler injection technique for lip

개선할 수 있다. Midline을 경계로 입술의 대칭을 맞춰야 하므로 양쪽에 들어가는 필러의 양을 측정하고 비슷하게 들어가도록 조절한다. 노화되어 inversion된 입술을 eversion하기 위해서는 dry-wet mucosa junction에 주사하도록 권장한다.

참고문헌

1. Braz et al. Lower Face: Clinical Anatomy and Regional Approaches with Injectable Fillers. Plastic and Reconstructive Surg. 2015; 136: 235-257.

2. Garcia de Mitchell et al. The philtrum: anatomical observations from a new perspective. Plastic and Reconstructive Surg. 2008; 122: 1756-1760.

3. Lee, Sang-Hee et al. Topographic Anatomy of the Superior Labial Artery for Dermal Filler Injection. Plastic and Reconstructive Surg. 2015; 135: 445-450.

4. Penna, Vincenzo et al. The Aging Lip: A Comparative Histological Analysis of Age-Related Changes in the Upper Lip Complex. Plastic and Reconstructive Surg. 2009; 124: 624-628.

5. Rohrich, Rod J, Pessa, Joel E. The anatomy and clinical implications of perioral submuscular fat. Plastic and Reconstructive Surg. 2009; 124: 266-271.

김현조

1. 디자인

여러 문헌에서 윗입술과 아랫입술의 비율은 3:5 또는 9:16으로 아랫입술이 좀 더 두꺼워야 이상적이라고는 하지만, 입술 필러 시술 시 입술의 모양만 고려하기보다는 안면부 전체의 형태 및 대칭성을 고려하여 입술 모양을 디자인 하는 것이 필수적이다.

2. 마취

입술은 워낙 예민한 부위여서 연고마취로는 힘들고 Infraorbital Nerve and Mental Nerve Block을 한 후 시술한다.

3. 시술법

1) Needle vs Blunt Tip Microcannula

저자는 27게이지 또는 30 게이지 니들을 이용하여 시술하는 것을 선호한다. 입술 볼륨보다는 명확한 입술 라인을 만들기 위한 시술이라면 위 아래 입술의 vermilion border를 따라 Submucosa Level로 필러를 주입하여 준다(Figure 8-3).

입술 볼륨 증대를 위한 시술의 경우에는 입술 중앙 부위에서 자입하여 필러를 주입하는데, 대칭성이 중요하기 때문에 주입 양을 세심히 고려해가며 시술을 하여야 한다(Figure 8-4).

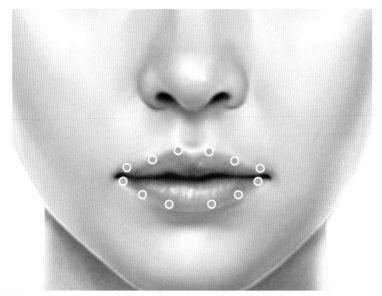

Figure 8-3. 선명한 입술라인을 만들기 위한 필러 시술 방법

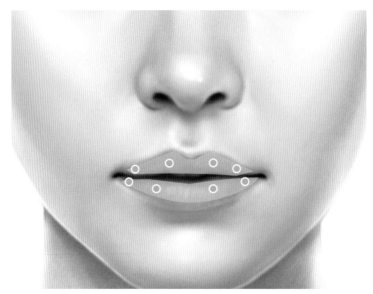

Figure 8-4. 입술 볼륨 증가를 위한 필러 시술 방법

2) 주입 볼륨

입술의 라인을 명확하게 하기위해 시술 하는 경우에는 위, 아래 입술에 주입되는 필러 양은 평균적으로 0.5-1 cc, 그리고 입술 볼륨의 증대가 목적인 경우에는 증례에 따라 차이가 있지만 평균적으로 1-2 cc 정도가 주입된다.

3) 경과 및 전후 사진

입술 잔주름 및 볼륨 증대를 목적으로 필러를 주입한 증례이다(Figure 8-5).

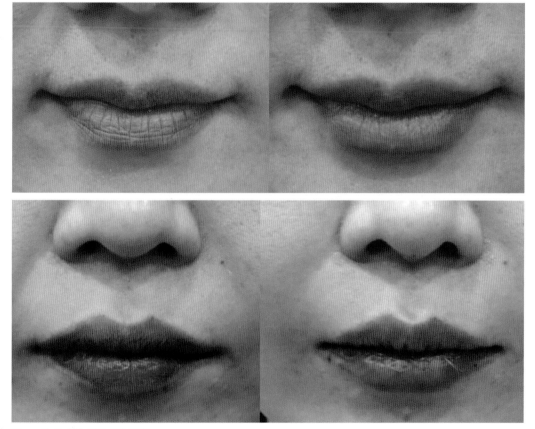

Figure 8-5. 입술 필러 시술 전후

4) 시술 시 주의 사항

Superior Labial a.와 Inferior Labial a.가 위 아래 입술 전반적으로 분포하고 있는데 주로 Orbicularis Oris m. 후방에 위치하는 경우가 많으므로, 필러 주입 시 지나치게 후방으로 주입하기보다는 Orbicularis Oris m. level 또는 Submucosa Level로 주입하는 것이 좀 더 안전하다(Figure 8-6).

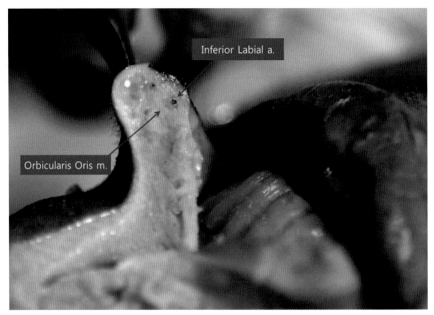

Figure 8-6. Inferior labial a.의 위치

참고문헌

1.   보툴리눔 필러 임상해부학 김희진, 서구일, 이홍기, 김지수 한미의학 2015

2.   보톡스와 필러의 정석 이수근 한미의학 2011

3.   Anatomy-based image processing analysis of the running pattern of the perioral artery for minimally invasive surgery. Lee SH, Lee M, Kim HJ. Br J Oral Maxillofac Surg. 2014 Oct;52(8):688-92

4.   What is the difference between the inferior labial artery and the horizontal labiomental artery? Lee SH, Lee HJ, Kim YS, Kim HJ, Hu KS. Surg Radiol Anat. 2015 Oct;37(8):947-53

입술 시술 한 눈에 비교하기

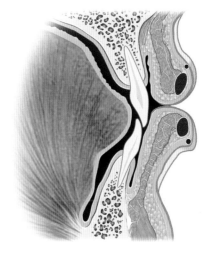

박정준-입술

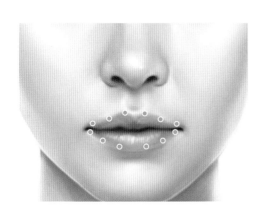

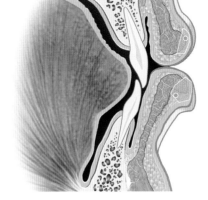

김현조-입술

	박정준	김현조
주사기/캐뉼라	진피층 : 주사기 30 G 피하층 : 캐뉼라 23 G	주사기 30 G, 13 mm 니들
한쪽당 주입량	진피층 : 0.1-0.2 cc 피하층 : 0.5-1 cc	0.5-1.0 cc
필러 강도(G*) 선택 : 더채움필러 No. 1,2,3,4 [판매사: 휴젤(주)] 기준	진피층 : 넘버 1 피하층 : 넘버 1	넘버 1
마취방법	마취연고, 국소리도케인, 신경리도케인	신경리도케인
주입 테크닉	진피층 : linear threading 피하층 : linear threading Fan	Linear Threading and Bolus(Point) Injection
주입층	진피층 : dermal/subdermal 피하층 : subcutaneous	Submucosa layer

chapter 09

턱끝

박정준

1. 시술 전 고려 사항

서양인은 턱끝이 잘 발달되어 있지만 한국인을 포함한 동양인의 경우에는 아래턱의 길이가 짧거나 무턱인 경우가 많다. 또한 입이 돌출된 경우가 많아 상대적으로 턱이 없어 보인다. 이렇게 무턱인 경우 입을 꼭 다물기 위해 턱끝근(mentalis muscle)을 많이 사용하여 턱끝이 울퉁불퉁해 보이는 자갈모양턱(cobble stone appereance)을 보이는 경우가 많아 볼륨을 채워주는 필러 시술과 함께 보툴리눔 독소 시술을 함께 하는 경우가 많다. 턱끝은 그 자체의 모양도 중요하지만 주변 부위와의 조화가 특히 더 중요하며 이상적인 비율을 통해 조화로움을 얻을 수 있다. 얼굴은 정면에서 봤을 때 상부 1/3, 중부 1/3, 하부 1/3의 비율일 때 가장 이상적이라고 한다. 하지만 최근 한국의 경우 턱이 조금 짧은 동안을 선호하는 경향에 많아 1:1:0.8의 비율을 더 선호한다. 측면에서 봤을 때 턱끝은 코와 입술과의 위치관계가 중요하다. 이를 알 수 있는 간편한 방법으로 Ricketts line(Figure 9-1)이 있다. Ricketts line은 측면에서 코끝(nasal tip)과 턱끝의 맨 앞돌출부위(soft tissue pogonion)를 잇는 선을 말한다. 한국인에서는 윗입술과 아랫입술이 이 선상에 위치하거나 혹은 1~2 mm 정도 후방에 위치하는 것이 코끝, 입술과 턱끝이 조화를 이루는 선이라고 한다. 이 선을 이용하면 코와 입술에 대한 턱끝의 상대적인 위치를 파악할 수 있다. 코끝과 턱끝을 이은 선이 입술 앞끝보다 뒤쪽으로 지나가게 되면 턱끝의 발달이 부족한 무

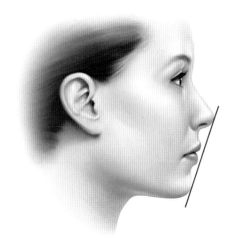

Figure 9-1. Ricketts line

턱이거나 양악돌출증에 의해 입술이 앞으로 돌출되어 있거나 또는 입술 자체가 큰 것으로 판단할 수 있다. 턱끝의 필러 시술을 할때는 환자의 턱끝 길이와 돌출의 정도를 정확하게 파악하고, 앞으로 어느 정도 돌출시킬지(projection), 아래로 어느 정도 길게 만들지(elongation)를 고려해서 시술해야 한다. 일반적으로 턱끝의 길이가 짧으면서 뒤로 후퇴한 경우에는 대각선으로 수직 길이를 늘이면서 돌출을 증가시키는 방법으로 시술하는 것이 좋다. 반면에 턱끝의 길이가 길거나 보통인 경우에 하방으로 길이를 늘이는 것은 전체적으로 얼굴이 더욱 길어 보이게 되므로 앞으로만 돌출 시키는 것이 좋다.

2. 해부학적 고려 사항

조화롭고 아름다운 턱끝 라인을 위해서는 턱끝의 해부학적인 여러 층에 대해 먼저 알아야 한다. 턱끝은 피부, superficial fat compartment(얕은 지방구획), 근육층(턱끝근), deep fat compartment 그리고 골막과 뼈로 된 층으로 나뉜다(Figure 9-2). 피부 밑의 얕은 지방구획층

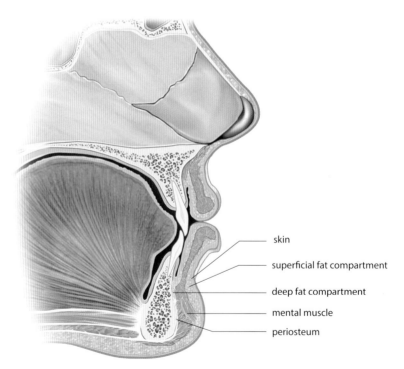

Figure 9-2. Sagittal section of the chin

은 mental fat compartment라고도 한다. 바깥쪽으로는 labiomadibular fat compartment 와 붙어 있다. Mental fat compartment는 아래쪽으로는 submental ligments, 바깥쪽으로 는 labiomandibular grooves, 위쪽으로는 mentolabial sulcus로 경계 지어진다. 얕은 지방 구획층의 아래에는 근육층이 있으며 턱끝근이 있다. 턱끝근은 아래턱의 incisive fossa에서 일 어나서 아래로 비스듬히 내려와 턱끝의 피부에 부착하는 원뿔형의 근육이다. 턱끝근의 아래 쪽 부분은 양쪽의 근육섬유가 정중면에서 서로 교차하여 피부에 부착되기 때문에 아래턱뼈와 근육섬유 사이에 빈 공간이 존재한다. 이곳이 바로 깊은 지방층(submentalis fat, 턱끝 근육 하 지방)이다. 깊은 지방층은 턱끝근 바로 아래에 있으며, 양쪽으로 분리되어 서로 연결되어 있지 않다는 보고가 있다. 그리고 이 층은 상대적으로 혈관 내 주입의 위험이 적은 성긴 공간 이지만 깊은 층에 들어가기 때문에 단단한 필러가 필요하고 같은 효과를 내기 위해서는 보다 많은 양의 필러가 필요한 경우가 많다. 턱끝 부분의 혈관으로는 턱끝구멍(mental foramen) 에서 나오는 턱끝동맥(mental a.), 얼굴동맥의 아랫입술동맥(inferior labial a.) 등이 있다. 턱끝은 전술한 혈관들이 지날 수 있지만, 시술 부위보다는 바깥쪽에 있어 비교적 안전하게 시 술할 수 있다. 드물게 아랫입술동맥이 턱끝밑삼각(submental triangle)에 위치하는 턱끝밑동 맥(submental a.)에서 분지하여 턱끝을 지나 아랫입술에 분포하는 경우가 있으므로 주의하는 것이 좋다.

3. 턱끝 시술 방법

1) 디자인
Mentolabial sulcus와 soft tissue menton을 표시한다. 정중선과 labiomandibular grooves 를 그린다. 턱끝의 projection을 위해서는 보통 정중선에서 mentolabial sulcus와 soft tissue menton 사이의 중간점을 잡고, elongation과 projection을 위해서는 soft tissue menton 부위 점을 잡는다. 턱라인을 부드럽게 해주기 위해 양쪽에 잡는 주입점은 중앙 주입점과 labiomandibular groove와 턱라인이 만나는 지점의 중간점을 잡는다(Figure 9-3).

2) 마취
턱끝의 필러 주입 시 피부의 마취와 주입점의 국소마취 만으로도 대부분 큰 불편 없이 시술이

가능하다. 통증에 아주 민감한 환자의 경우 mental nerve block을 시행하면 보다 편안하게
시술할 수 있다.

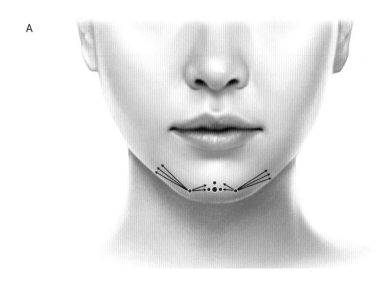

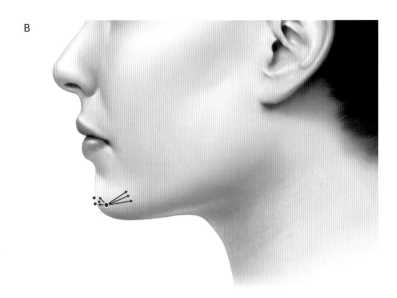

Figure 9-3. Filler injection techniques for chin(A: frontal view, B: lateral view)

3) 시술법

(1) Needle vs Cannula

턱끝의 중앙에 볼륨을 채울 때는 중앙 주입점을 needle로 깊이 찔러 뼈를 느낀다. 그 후 needle을 뒤로 살짝 빼서 regurgitation한다. 이상이 없으면 부드럽게 들어가는 깊은 지 방구획층에 천천히 필러를 주입한다. 바늘의 bevel 방향은 projection이 필요한 경우에는 cephalic 방향으로 하고, elongation이 필요한 경우에는 caudal 방향으로 한다. 주입점 을 정중앙에 잡는 이유는 정중앙이 아닌 옆에서 주사할 경우 한쪽의 깊은 지방구획층으로 만 주입되어 비대칭을 유발할 수 있기 때문이다. 하지만 턱끝에 골이 패여 보이거나 피부 에서 혈관이 보이는 경우에는 살짝 옆에서 주사를 하되 양쪽에서 시행하여 비대칭이 되지 않게 볼륨을 조절한다. Mentolabial sulcus가 심하게 두드러져 보이는 경우에 얕은 지방 구획층에 필러를 많이 주입하게 되면 오히려 더 심하게 두드러져 보일 수 있다. 이럴 경우 에는 깊은 지방구획층에도 필러를 주입함으로써 mentolabial sulcus를 개선할 수 있다. 또한 깊은 지방구획층에 많은 용량의 필러를 주입하는 경우에는 턱끝만 올라오게 되어 labiomental groove가 두드러지거나 턱선이 부드럽게 연결되지 않고 들어가 보이는 현 상이 생길 수 있다. 이를 보완하기 위해서 얕은 지방구획층에 필러를 주입하여 턱선을 반 듯하게 해준다. 주입점은 정중앙에서 약간 떨어진 외측에서 두 점을 잡아 cannula를 이 용하여 얕은 지방구획층을 따라 labiomental groove를 넘어서까지 진입 후 retrograde 하게 빼면서 필요한 양만큼 필러를 조금씩 천천히 주입한다. 이때 필러가 platysma m. plane을 따라 목으로 흐를 수 있으므로 시술하지 않는 손을 이용해 시술 부위를 보호하면 서 주입한다. 끝으로 시술 경계부위를 부드럽게 마사지해주면 보다 만족스러운 결과를 얻 을 수 있다.

(2) 주입 볼륨

깊은 지방구획층: 1–3 cc
얕은 지방구획층: 한쪽당 0.5–1 cc

(3) 경과 및 시술 전후 사진

24세 여자로 턱끝의 볼륨 증대를 목적으로 필러를 2cc 주입한 증례이다.

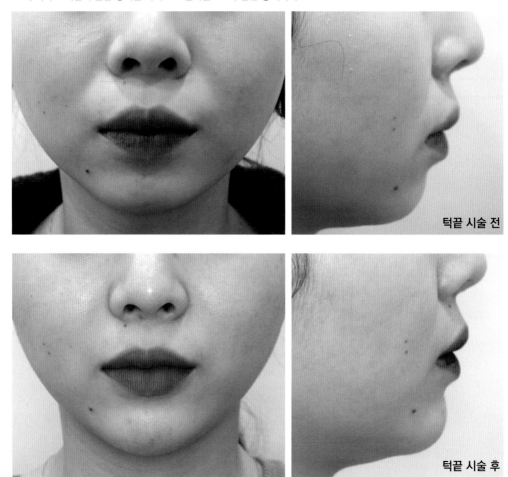

턱끝 시술 전

턱끝 시술 후

참고문헌

1. Braz et al. Lower Face: Clinical Anatomy and Regional Approaches with Injectable Fillers. Plastic and Reconstructive Surg. 2015; 136: 235-257.

2. Rod J. Rohrich, M.D. Joel E. Pessa, M.D.. The Anatomy and Clinical Implications of Perioral Submuscular Fat. Plastic & Reconstructive Surg.; 2009;124;266-271

3. Pilsl, Ulrike, Anderhuber, Friedrich. The chin and adjacent fat compartments. Dermatologic Surgery; 2010; 35:214-218

4. Gierloff, M. et al. The subcutaneous fat compartments in relation to aesthetically important facial folds and rhytides. Journal of Plastic, Reconstructive and Aesthetic Surgery. 2012; 65: 1292-1297.

5. Buckingham, Edward D. et al. Volume rejuvenation of the lower third, perioral, and jawline. Facial Plastic Surgery. 2015; 31 : 70-79

턱끝 시술 한 눈에 비교하기

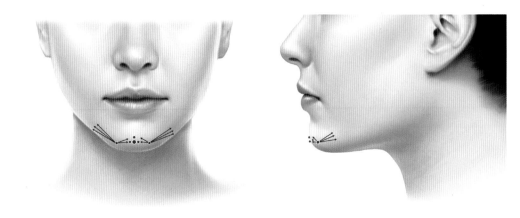

	박정준
주사기/캐뉼라	심부층 : 주사기27 G 피하층 : 캐뉼라 23 G
한쪽당 주입량	심부층 : 1-3 cc 피하층 : 0.5-1 cc
필러 강도(G*) 선택 : 더채움필러 No.1,2,3,4 [판매사: 휴젤(주)] 기준	심부층 : 넘버 3 피하층 : 넘버 2
마취방법	마취연고, 국소리도케인
주입 테크닉	심부층 : bolus 피하층 : linear threading Fan
주입층	심부층 : supraperiosteal 피하층 : subcutaneous

chapter 10

안와상공

이용우

1. 디자인

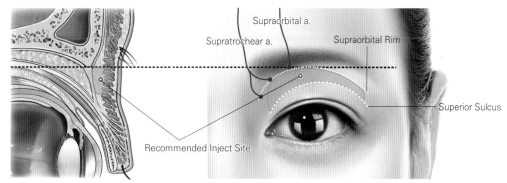

Supraorbital a.

Supratrochear a.

Supraorbital Rim

Superior Sulcus

Recommended Inject Site

Figure 10-1. 단면도와 디자인

2. 마취

주사가 들어가는 자입점에만 피하지방 마취를 시행한다. 물론 신경 차단술을 시행할 수도 있지만, 층이 쉽게 벌어지는 구조라 저항 없이 시술이 가능하기에 광범위한 마취를 하지 않는다.

3. 시술법

1) Needle vs Cannula

23 G 1.25인치 주사바늘을 사용하며 바깥쪽 끝 주입점으로 한 번에 들어가 안쪽까지 모두 시술한다.

2) 주입 볼륨

한쪽당 0.5 cc 이하의 필러를 사용한다. 0.5 cc 이상의 주입이 필요하다고 생각되는 꺼짐이 심한 환자의 경우이더라도 2주 경과 후에 더 넣어주는 것이 좋으며, 초기에 많이 주입하지 않는다.

3) 시술 시 주의 사항

얼굴의 옆면에서 봤을 때 불룩하게 나올 정도로 초기에 교정하지 말아야 한다. 부족하다 싶게 교정을 하고 추후에 더 넣어주는 방법을 사용하는 것이 좋다. 또한 안와격막(orbital septum)을 뚫고 시술하지 않으면서 최대한 깊은 층에 필러를 주입하여 주는 것이 필요하다. 너무 표면에 필러가 주입되면 눈을 감았을 때 필러가 볼록 튀어나와 보이기에 주의해야 한다.

4) 해당 부위 부작용 및 해결법

가장 흔하게 접하는 부작용은 주변 혈관을 터트려서 눈가 주위에 멍이 드는 것이다. 눈 주변에는 많은 혈관이 지나가기에 항상 젠틀하게 시술해야 하며, 눈 주위 시술이지만 의외로 실명이나 피부괴사와 같은 부작용은 잘 발생하지 않는다. 혈관 자체가 매우 가늘기 때문에 혈관을 타고 필러가 들어가기보다 혈관을 찢어서 멍이 들기 때문에 심각한 부작용으로 이어지는 경우는 드물다. 하지만 안와격막 뒤쪽으로 주사가 될 경우에 출혈이 없다면 큰 문제가 없을 수도 있지만, 출혈을 유발하는 경우에는 주변 구조물에 압박이 될 가능성도 있으며 추후 상안검거근의 움직임에 방해를 주는 섬유화 과정이 일어날 수 있기에 가능하면 안와격막 바로 앞에 시술하는 느낌으로 필러를 주입해야 한다.

참고문헌

1. Lin TM, et al. Application of Microautologous Fat Transplantation in the Correction of Sunken Upper Eyelid. Plast. Reconstr. Surg. Glob Open 2:e259, 2014.
2. Liew S. Nonsurgical Volumetric Upper Periorbital Rejuvenation: A Plastic Surgeon's Perspective. Aesth. Plast. Surg. 35:319, 2011.
3. Park SK, et al. Correction of Superior Sulcus Deformity With Orbital Fat Anatomic Repositioning and Fat Graft Applied to Retro-Orbicularis Oculi Fat for Asian Eyelids. Aesth. Plast. Surg. 35:162, 2011.

홍기웅

1. 시술 전 고려 사항

눈꺼풀 윗부분이 선천적 또는 후천적으로 꺼져서 움푹 들어가 보이는 경우 나이들어 보이거나 피곤하고 졸린 인상으로 보일 수 있다. 원인으로는 유전, 노화에 의한 눈꺼풀 지방의 감소, 쌍꺼풀 수술 시 과도한 안와지방제거 등이 있다. 특히 동양인의 경우 눈을 뜨게 해주는 tarsal plate에 붙는 levator palpebral superioris muscle의 힘이 약하고 이 근육이 진피 조직에 부착하지 않는 경우가 많아 쌍꺼풀이 없어 피부가 처지고 서양인보다 많은 윗눈꺼풀의 지방이 내려와 눈두덩이가 불룩하고 부어보인다. 나이가 들면서 불룩한 orbital margin에 비해 그 아래 있는 orbital septum(안와격막) 내의 지방은 줄어들어 반대로 움푹 파이는 고랑이 생기고 눈꺼풀 뜨는 힘은 더 약해지고 피부도 처지면서 전형적인 sunken eyelid가 나타나게 된다. Sunken eyelid가 있을 경우 피곤해 보이고 졸려 보이면서 눈매도 또렷하지 않은 안검하수의 모양을 보이고 쌍꺼풀 선이 있을 경우 잘 말려들어가지 않아 흐릿한 쌍꺼풀 선을 보인다. 꺼져 보이는 supratarsal lid crease 위의 orbital rim의 아래 부분을 채워주게 되면 졸려 보이는 인상도 개선되고, 눈매도 또렷해지면서 쌍꺼풀 선까지 선명해 보이는 효과를 볼 수 있다.

2. 시술 방법

시술 시 똑바로 앉아 눈을 뜬 상태에서 retrograde linear threading tiny injection tech.으로 매우 천천히 부드러운 HA 필러를 주입하는 것이 무엇보다 중요하다. 주입 plane을 보면 우선 안륜근 내에 주입하는 것은 출혈의 위험이 크고 다음으로 orbital septum 내의 지방이 꺼졌다고 하여 septum 내의 안와지방에 직접 주입해 출혈이 생겼을 때 피하층보다 지혈이 어렵다. 또한 septum 내에는 혈종이 생길 공간이 존재하며 눈을 뜨거나 감을 때 윤활막 역할을 하는 septum에 손상을 줄 수 있다. 따라서 가장 좋은 시술 plane은 orbital rim의 margin을 따라 orbital septum의 바깥 부위인 preseptal space에 주입하는 것이다. orbital rim의 내측 부위에는 supratrochlear art.와 supraorbital art. 등 이마, 미간으로 분포하는 ophthalmic art.의 가지들이 주행하고 orbit 안쪽으로는 이런 가지들이 central retinal art.와 연결되므로 최대한 조심해서 시술하고 intra-arterial injection을 포함한 vascular compromise를 피하기 위하여 카뉼라를 사용하는 것이 좋다(Figure 10-2).

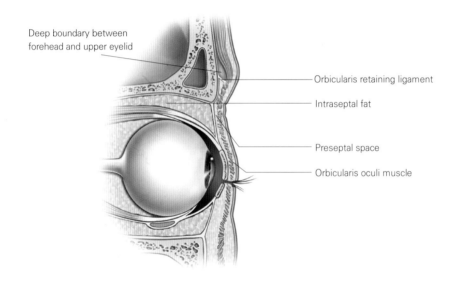

Figure 10-2. Preseptal space of upper eyelid

카뉼라 진입을 위한 puncture 포인트는 lateral canthus에서 수직선을 그어서 orbital rim과 만나는 부위에 잡으며 카뉼라를 진입시켜 orbital rim의 뼈에 닿은 후 살짝 빼서 periosteum 바깥쪽의 공간에 위치시킨다. 안륜근보다 깊은 층에는 지방층이 거의 없으므로 orbital septum의 표면 근처 깊이에 위치시켜 주입한다고 생각하면 되며 부드러운 HA 필러를 사용해 최대한 울퉁불퉁하지 않게 시술한다(Figure 10-3). 너무 얕게 시술하여 눈을 감았을 때 울퉁불퉁하거나 불룩하게 튀어나와 보이지 않는지 시술 중에 확인을 해야 하고 과도하게 교정되었을 경우, 필러가 눈꺼풀 아래쪽으로 이동할 수 있으므로 적당히 교정한 후 경과를 지켜보고 보충해주는 식으로 시술하는 것이 안전하다(Figure 10-4). 적당하게 시술한 뒤 부분적으로 비어 보이는 부분이 있거나 경계가 표시 나는 경우 진피 밑층에 아주 부드러운 필러를 소량

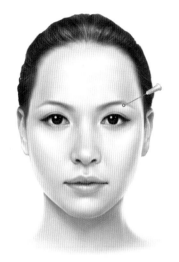

Injection entry point

- Vertical line on lateral canthus around the lower margin of superior orbital rim – mainly medial and middle parts of periorbital rim under the brow to avoid the supraorbital and supratrochlear main vessel branch above the supratarsal lid crease and under the orbicularis retaining ligament

Injection technique

- Vertical sitting position
- Voluntarily opened eyes
- Retrograde linear tiny injection
- Very slow release

Figure 10-3. Supraorbital hollowness : Injection point and techniques

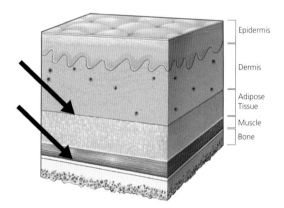

Epidermis

Dermis

Adipose Tissue

Muscle

Bone

Injection plane

- Supraperiosteal and submuscular injection around the orbital rim over the orbital septum
  - Restylane vital or Vital Light 0.3 – 0.5 cc for each area : 30 G cannula
- Submuscular injection into suborbicularis oculi fat (ROOF) for the brow augmentation
- Restylane lidocaine 0.3 – 0.5 cc for each area : 30 G cannula
- Subdermal injection of Restylane vital Light to even the surface and to remove the unnecessary multiple eyelid lines
  - Restylane Vital Light 0.1 – 0.2 cc for each area : 33 G nano needle

Figure 10-4. Supraorbital hollowness : Injection plane and products

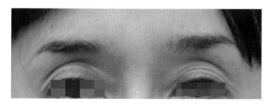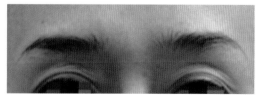

Figure 10-5. 안와상공 시술 전후

주입하여 표면을 매끈하게 해주는 게 좋은데, 이 때 얇은 눈꺼풀 피부 때문에 beading이 생기지 않도록 항상 조심하여 마무리를 해주는 것이 필요하다(Figure 10-5). 안검하수나 안구의 돌출이 심한 경우는 시술하여 좋은 결과를 얻기 힘들고 오히려 증상이 악화될 수 있으므로 시술을 피하는 것이 좋으며 이전에 수술이나 외상으로 인하여 흉터가 있는 경우 흉터 조직 때문에 필러를 골고루 주입하기 어려운 점도 고려해야 한다.

참고문헌

1. Cohen JL, et al. J Drugs Dermatol. 2009;8:13-16.
2. Salati SA. Online J Health Allied Scs. 2011;10:19
3. Park SH, et al. Clin Ophthalmol. 2008;2:679-683.
4. Lin TM, et al. Application of Microautologous Fat Transplantation in the Correction of Sunken Upper Eyelid. Plast. Reconstr. Surg. Glob Open 2:e259. 2014.

김현조

1. 디자인

상안검의 볼륨이 감소한 부위로 자입점을 디자인한다. 평균적으로 3-6개의 자입점을 만들어 시술하게 된다(Figure 10-6).

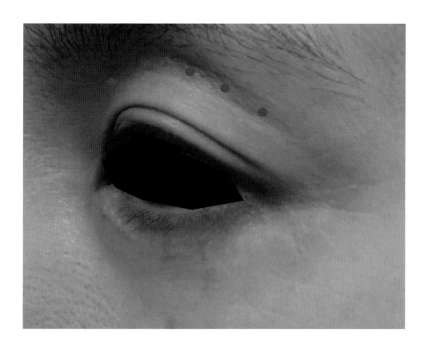

Figure 10-6. Sunken upper eyelid 교정 시 자입점

2. 마취

국소연고 마취로 충분하다.

3. 시술법

1) Needle vs Blunt Tip Microcannula

소량의 필러가 세밀하게 주입이 되어야 하는 부위이므로 필자는 33게이지 니들을 사용하여 시술한다.

Orbital Septum을 뚫지 않고 ROOF (Retro Orbicularis Oculi Fat) Level에 주입을 하는 것을 권장한다(Figure 10-7).

시술 전 피부를 촉진하여 Superior orbital rim을 확인한 후 주사기를 자입한다. Needle이 Superior Orbital Rim에 닿은 것을 느낀 후 약간 뒤로 후진하여 ROOF Level에 Bolus Technique으로 주입을 한다. 내측으로부터 주입을 시작하여 외측으로 주입하는 것이 모양을 만들기가 용이하다(Figure 10-8, 9).

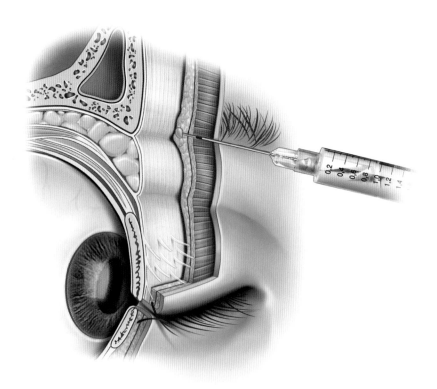

Figure 10-7. Sunken upper eyelid 교정 시 필러 주입 위치

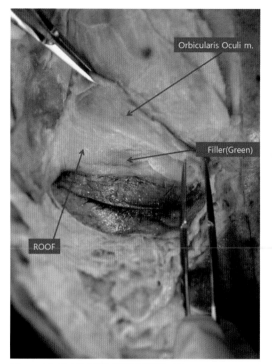

Figure 10-8. ROOF에 주입된 필러(녹색)

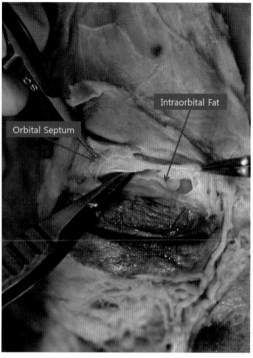

Figure 10-9. Orbital Septum and Intraorbital Fat

2) 주입 볼륨

편측당 0.2-0.4 cc 정도가 주입이 된다.

3) 경과 및 전후 사진(Figure 10-10)

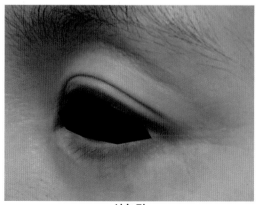

시술 전

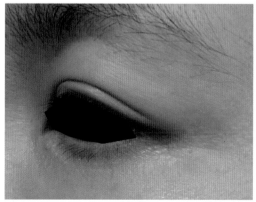

시술 후

Figure 10-10. Sunken upper eyelid 필러 시술 전후

4) 시술 시 주의 사항

적은 양의 필러 주입으로도 효과를 볼 수 있는 부위이며, 필요 이상의 필러가 주입 시 상안검이 처지게 되어 졸려 보이거나 피곤해 보이는 인상을 만들 수 있으므로 주의가 필요하다.

Supraorbital a., Supratrochlear a. 또는 Superior medial palpebral a.의 주행경로를 염두에 두고 vascular compromise에 주의 하면서 시술하는 것이 필요하다(Figure 10-11).

Orbital septum을 뚫고 내부로 필러가 주입이 되는 경우 혈종 및 안구 움직임 저해 등의 부작용의 가능성이 있으므로 되도록 orbital septum을 뚫지 않도록 주의하며 시술하여야 하겠다.

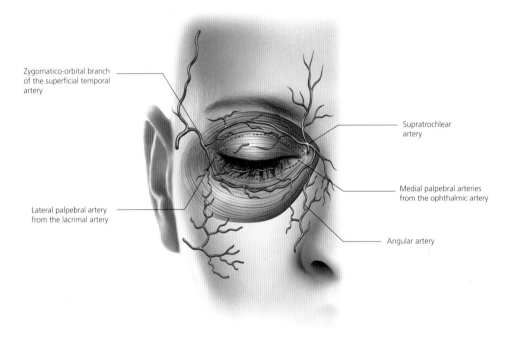

Figure 10-11. Sunken upper eyelid 시술 시 주의해야 할 혈관

참고문헌

1.   "Walk the Rim, Feel the Bone" Technique in Superior Sulcus Filling. Yong KL. Plast Reconstr Surg Glob Open. 2016 Jan 7;3(12):e592

2.   보툴리눔 필러 임상해부학 김희진, 서구일, 이홍기,김지수 한미의학 2015

3.   Location and nature of retro-orbicularis oculus fat and suborbicularis oculi fat. Hwang SH, Hwang K, Jin S, Kim DJ. J Craniofac Surg. 2007 Mar;18(2):387-90.

안와상공 시술 한 눈에 비교하기

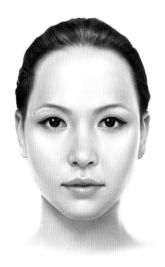
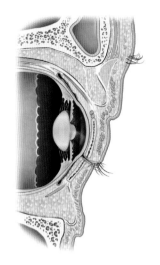

이용우-안와상공

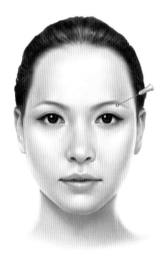
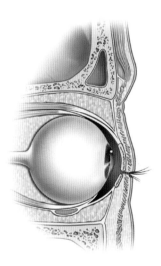

홍기웅-안와상공

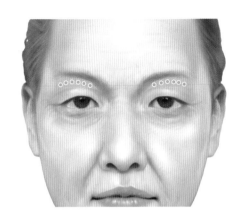 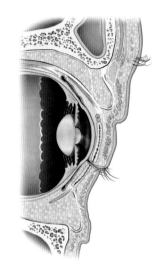

김현조-안와상공

	이용우	홍기웅	김현조
주사기/캐뉼라	주사기 23 G, 1.25 inch	캐뉼라 30 G 사용	주사기 33 G 니들
한쪽당 주입량	0.5 cc 전후	0.3-0.5 cc	0.2-0.4 cc
필러 강도(G*) 선택 : 더채움필러 No.1,2,3,4 [판매사: 휴젤(주)] 기준	넘버 2	넘버 1	넘버 1
마취방법	국소리도카인	캐뉼라 사용 시 : 마취연고 후 진입포인트만 국소리도케인 주사	마취연고
주입 테크닉	bolus 테크닉	Retrograde linear tiny injection technique	Linear Threading and Bolus Technique
주입층	바깥쪽에서 접근하며 안와상연을 촉지하고 그 바로 아래쪽에 넣는다. 너무 얕게 넣어서 표면에 울퉁불퉁함을 만들지 않게 주의한다.	Space between orbicularis oculi muscle and orbital septum에 주입 후 마무리는 subdermal plane에 주입하여 표면을 매끈하게	ROOF Level

안와하능선과
안와하공

윤춘식

Infraorbital hollowness: Tear trough - Palpebromalar groove//Midcheek groove

* Tear trough – Palpebromalar groove의 원인

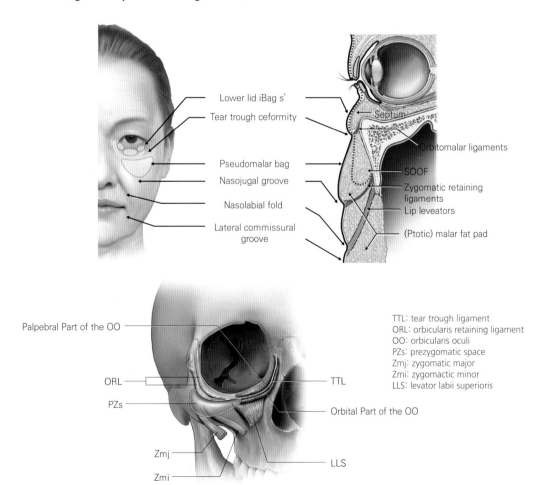

Lower lid iBag s'
Tear trough ceformity
Pseudomalar bag
Nasojugal groove
Nasolabial fold
Lateral commissural groove

Septum
Orbitomalar ligaments
SOOF
Zygomatic retaining ligaments
Lip leveators
(Ptotic) malar fat pad

Palpebral Part of the OO
ORL
PZs
Zmj
Zmi

TTL
Orbital Part of the OO
LLS

TTL: tear trough ligament
ORL: orbicularis retaining ligament
OO: orbicularis oculi
PZs: prezygomatic space
Zmj: zygomatic major
Zmi: zygomactic minor
LLS: levator labii superioris

Figure 11-1. Midface anatomy : Retaining ligament

1) Tear trough — Palpebromalar groove는 tear trough ligament와 orbitomalar ligament가 잡아 당기면서 발생한다.

2) Structural support의 loss

   – tear trough/orbitomalar groove 상방의 eyebag이 처지고, 하방의 superficial fat과 deep fat의 볼륨감소와 하방 이동에 의해 tear trough/ Palpebromalar groove가 더 두드러지게 된다.

   – maxilla의 bone absorption에 의해 tear trough/ Palpebromalar groove가 더 두드러지게 된다.

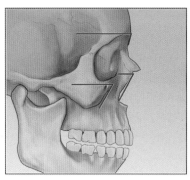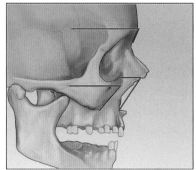

Figure 11-2. Volume loss: Bone

3) Tear trough — Palpebromalar groove 상/하방 조직의 차이

   – 상부 조직의 경우 피부는 얇고, 지방은 거의 없으나, 하부 조직은 피부는 더 두껍고, 지방도 더 많다.

* Midcheek groove의 원인

1) midcheek groove는 하방에 zygomatic cutaneous ligament 있기에 발생한다.

2) Lip elevator muscle의 지속적인 움직임에 의해 ligament가 있는 부위가 깊어진다.

3) Zygomatic cutaneous ligament의 상부의 SOOF와 하부의 DMCF lateral part의 볼륨감소에 의해 midcheek groove가 깊어진다.

4) Bone absorption: Maxilla bone의 흡수로 인해 midcheek groove가 깊어진다.

5) Anteromedial cheek의 Soft tissue를 유지하고 있는 retaining tissue의 loosening에 의해 malar mound가 처지고, midcheek groove가 깊어지게 된다.

1. Surface anatomy

1) Tear trough & Palpebromalar groove

Tear trough의 정의는 저자나 논문마다 약간씩 다르기에 정확하게 정의하기는 어렵다. 일반적으로 Nicholas T. 등의 논문에 따르면 medial canthus부터 midpupillary line까지를 tear trough라고 하며, midpupillary line에서 lateral canthus까지를 Palpebromalar groove라고 하였는데 이 정도의 의미가 적당하다고 생각한다.

2) Midcheek groove

일명 Indian band라고 하며, Zygomatic cutaneous ligament의 주행 방향과 일치한다.

*해부학적으로 Tear trough & Palpebromalar groove 밑에는 tear trough ligament와 orbitomalar ligament가 위치하여 있으며, 이 ligament는 연속된 구조물이며 true retaining ligament인데 비해, zygomatic cutaneous ligament는 군데군데 연결이 끊어져 있는 불연속적인 구조로 되어 있고, anteromedial cheek 부분은 false retaining ligament로 되어 있다. 따라서, midcheek groove의 경우에는 임상적으로 보았을 때 나타나지 않는 경우가 더 많다.

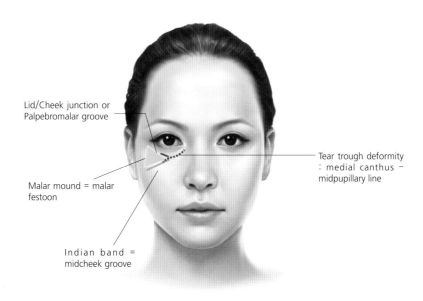

Lid/Cheek junction or Palpebromalar groove

Malar mound = malar festoon

Tear trough deformity : medial canthus – midpupillary line

Indian band = midcheek groove

Figure 11-3. Surface Anatomy: 눈 밑 & 앞 광대

2. 디자인

1) Tear trough & Palpebromalar groove

사진의 왼쪽 얼굴처럼 5개의 구역으로 나누어 꺼짐의 정도를 파악하고, 실제 시술 시에는 우측 얼굴처럼 4구역으로 나누어 시술한다(Figure 11-4).

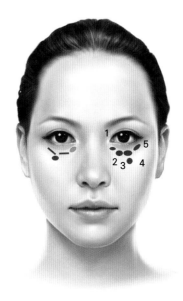

Figure 11-4. Injection area (Zone 1-5) & technique

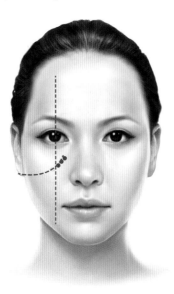

Figure 11-5. Injection area

2) Midcheek groove

Tear trough에서 시작되어 Zygomatic angle 하방으로 연결되는 Indian band를 따라 oblique line을 긋고 midpupillary line에서 직각으로 내리는 선이 만나는 곳을 중심으로 하여 라인을 따라 주입한다(Figure 11-5).

3. 마취

1) Tear trough & Palpebromalar groove

Tear trough와 Palpebromalar groov 부위는 생각보다 필러 주입 시 통증을 많이 호소하지 않는 부위이며, 대부분의 케이스에서 국소 마취 연고도포로 시행하고 있으며, 다른 눈밑 시술(한관종, 눈밑 애교 필러시술, 앞광대 필러시술)과 병행 시에만 Nerve block (infraorbital nerve block)을 시행하고 있다.

2) Midcheek groove

Submuscular level로 deep injection 시에는 Nerve block하며, subdermal layer만 superficial 교정 시에는 EMLA 마취만으로 시행하고 있다.

4. 시술법

1) Tear trough & Palpebromalar groove

Linear threading technique을 이용해서 주입한다.

(1) 주입 깊이

　　Submuscular or supraperiosteal level에 주입한다.

　　: Palepromalar groove의 경우는 SOOF level에 주입하게 되지만, Tear trough의 경우 실제로 해부를 해보면 tear trough상에 있는 orbicularis oculi 밑에는 deep fat인 SOOF는 거의 발견되지 않기에, 이 부위에 실질적으로 주입을 한다면 orbicularis oculi muscle 안이거나 muscle과 bone 사이 혹은 skin과 orbicularis oculi 사이에 주입하게 된다.

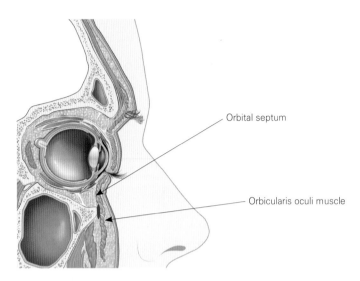

Orbital septum

Orbicularis oculi muscle

Figure 11-6. Injection depth

* Superficial (Subdermal) injection technique

Tear trough나 Palpebromalar groove 필러 주입 시, deep injection(submuscular level)로 주입해야 lump, swelling, discoloration 같은 불편함이 생기지 않는다. 하지만, deep injection만으로 해결되지 않는 line이 남는 경우가 있다. 이런 경우는 잘 퍼지고, 탄성이 적은 부드러운 필러를 사용해서 superficial injection (subdermal)으로, 추가 교정하면 더 좋은 결과를 만들어 낼 수 있다.

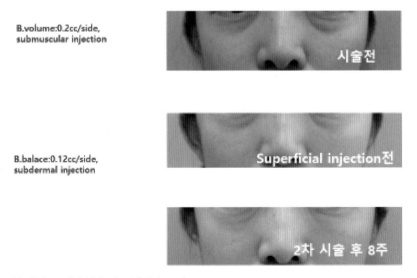

B.volume:0.2cc/side,
submuscular injection

B.balace:0.12cc/side,
subdermal injection

Figure 11-7. Superficial injection: Subdermal

(2) Needle vs Cannula

정교하게 시술하고 싶으면 needle이 유리하나 단점은 멍이 드는 것이며 반대로, 멍이 들지 않게 시술하고 싶으면 cannula가 유리하나 단점은 세밀함이 부족하다.

Needle	Blunt Cannula
More bruise	Less bruise
More edema	Less edema
More precise	Less precise

(3) 주입 볼륨

0.4~0.8 cc/side

(4) F/U molding

Tear trough나 palpebromalar groove의 경우 다른 부위와 달리 필러 시술 시 뭉쳐 있는 현상이 두드러지게 보이기 때문에, 시술 후 1주일 이내 f/u 해서 뭉쳐 있는 부분을 눌러서 펴주는 것이 좋다.

몰딩 후 tear trough 부분에 뭉침 현상이 많이 호전된 것을 볼 수 있다

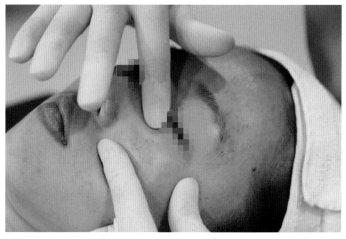

Figure 11-8. F/U molding : within 1week

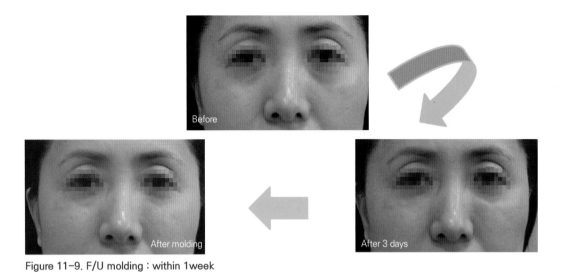

Figure 11-9. F/U molding : within 1week

(5) 경과 및 시술 전후 사진

Tear trough와 Palebromalar groove의 경우 아래와 같이 3가지 타입으로 나눌 수 있다.

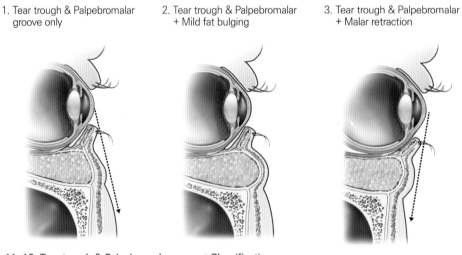

1. Tear trough & Palpebromalar groove only

2. Tear trough & Palpebromalar + Mild fat bulging

3. Tear trough & Palpebromalar + Malar retraction

Figure 11-10. Tear trough & Palpebromalar groove: Classification

Type 1. Tear trough와 Palpebromalar groove를 동시에 교정한 케이스이다.

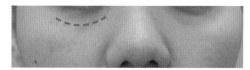

Submuscular level: Linear thread injection Belotero balance 0.07ml *3

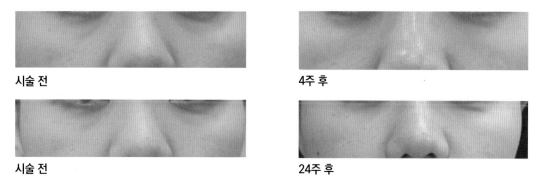

시술 전 　　　　　　　　　　　　　　　　4주 후

시술 전 　　　　　　　　　　　　　　　　24주 후

Figure 11-11. Tear trough & Palpebromalar groove only

Type 2. Tear trough와 Palpebromalar groove + Mild fat bulging이 있는 케이스이다.

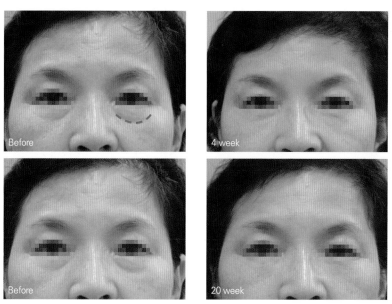

Figure 11-12. Tear trough + Mild fat bulging
Belotero balance/deep injection/linear thread 0.15ml*2

Mild fat bulging이 있더라도 fat 제거 없이 Tear trough와 Palpebromalar groove만 해결해 주어도 많이 호전됨을 알 수 있다.

Tyep 3. Tear trough와 Palpebromalar groove + Malar retraction이 있는 케이스이다.

Tear trough와 Palpebromalar groove교정 시 Malar retraction이 있으면 같이 교정해야 midpupillary line에서 수직으로 그은 선상의 arc가 적절하게 만들어지게 된다.

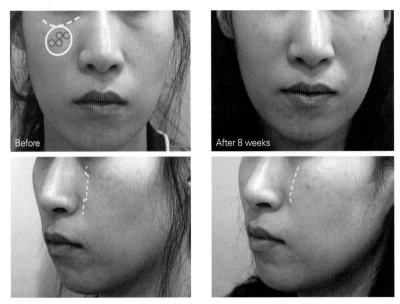

Figure 11-13. Tear trough + Malar retraction
Yvoire classic: 0.3 cc/side, Volume: 1 cc/side

*아래 사진을 보면 Tear trough만 교정했을 때보다, Malar (Anteromedial cheek) retraction을 같이 교정하는 것이 좀 더 arc가 부드럽게 만들어지는 것을 볼 수 있다.

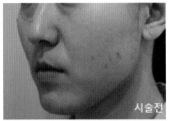 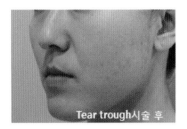

Tear trough: Princess Filler 0.25cc/side

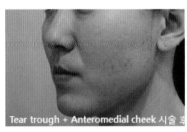

Anteromedical cheek
Princess Volume 0.5cc/sdie

Figure 11-14. Tear trough vs Tear trough + Anteromedial cheek : 결과 차이

(6) 유지기간

: 사용되는 필러의 종류에 따라 달라지며, 대략 1~2년 정도 유지된다.

 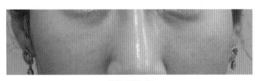

| 시술 전 | 20개월 후 |

Figure 11-15. Duration
Tear trough+Palpebromalar groove: Yyoire classic: 0.3 cc/side
Anteromedial cheek: Yvoire volume: 1 cc/side

*같은 필러를 눈밑과 팔자주름에 주입하고 1년 뒤 경과사진을 보면 팔자주름은 거의 원래대로 돌아왔지만, 눈밑은 아직 남아 있음을 알 수 있다. 필러의 유지기간에 중요한 요인 중 하나가 필러가 위치한 부위의 움직임이기에 움직임이 적은 눈밑 부분은, 움직임이 많은 팔자주름 대비 더 오래 유지되는 것을 관찰할 수 있다.

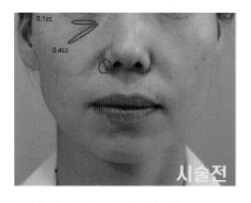
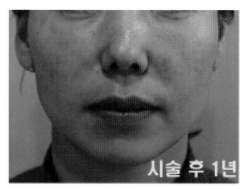

Figure 11-16. Duration: 부위에 따른 차이
Elravie deepline: Tear trough+ant.malar: 0.5 cc/side (needle)
　　　　　　　Nasolabial: 0.45 cc/side (needle)

(7) 시술 시 주의 사항

- 멍이 잘 발생하는 부위이기에 가능한 30 G 혹은 31 G 니들을 사용하는 것이 좋다

- Tear trough 아래쪽을 따라 angular vein과 artery가 지나기 때문에 필러의 혈관 주입
  을 조심해야 한다.

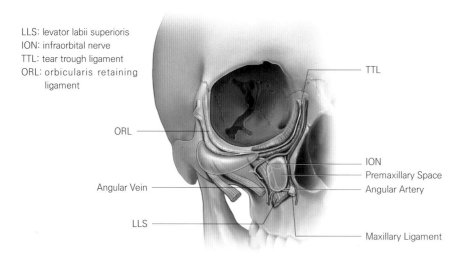

LLS: levator labii superioris
ION: infraorbital nerve
TTL: tear trough ligament
ORL: orbicularis retaining
　　 ligament

TTL

ORL

ION
Premaxillary Space
Angular Artery

Angular Vein

LLS

Maxillary Ligament

Figure 11-17. Angular vein & Artery

- 필러 주입 시 tear trough 상방으로 주입되면 eyebag이 더 심해 보일 수 있기에, tear
  trough 직하방에 주입해야 하며, 이를 위해서는 환자를 누워서 시술하는 것보다는 앉아

서 시술하는 것이 정확하다.

(8) 해당 부위 부작용 및 해결법

- 틴달 현상: 필러가 얕게 주입 시 틴탈현상에 의해 푸르스름하게 보일 수 있다. 피부가 얇은 경우에는 근육 밑으로 깊게 주입해야 한다

- 뭉침 현상: 눈밑의 경우 너무 한 곳에 많이 들어가게 되면 불룩하게 부어보이고 뭉쳐 보일 수 있다. 이런 경우는 몰딩을 해서 펴주거나 희석한 hyaluronidase를 이용해서 가볍게 녹여볼 수 있다.

2) Midcheek groove

(1) 주입 깊이

Subdermal or Subdermal + supraperiosteal level에 주입한다.

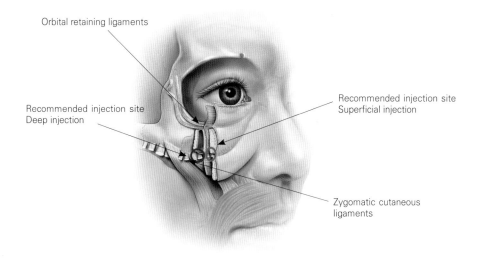

Figure 11-18. Injection depth

- Midckeek groove를 교정하기 위해서는 깊이에 따라 다르지만, 얕은 경우에는 subdermal injection으로, 깊은 경우에는 supraperiosteal level과 subdermal level로 (Sandwich technique) 각각 주입한다.

Midckeek groove상의 supraperiosteal level에 주입할 경우 zygomatic cutaneous ligament의 상부는 SOOF이고, 하부는 DMCF이기에 그 사이에 주입하게 되나, 보통 나이가 들면 ligament도 loosening에 의해 처지기에 해부학적으로는 DMCF에 주입될 가능성이 높아진다.

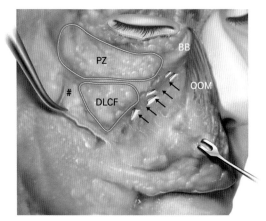

Figure 11-19. Layer 4: SOOF, DMCF

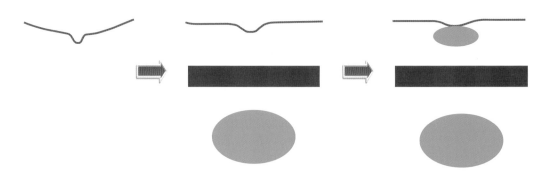

Figure 11-20. Sandwich technique

Figure 11-21은 orbicularis oculi muscle을 들고 그 밑에 있는 deep fat을 보여주는 사진으로, 보통 저자의 경우 skin부터 bone까지 soft tissue의 양에 따라 deep fat 주입 깊이를 달리한다. 즉, soft tissue가 두꺼운 경우는 deep fat의 상부에 주입하고, 얇은 경우는 deep fat의 하부에 주입한다.

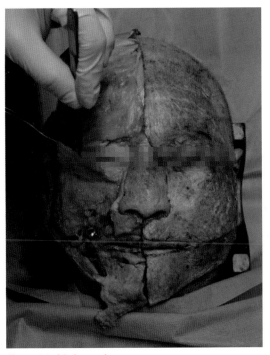

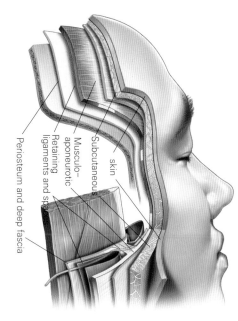

skin

Subcutaneous

Musculo-
aponeurotic

Retaining
ligaments and space

Periosteum and deep fascia

Figure 11-21. Layer 4

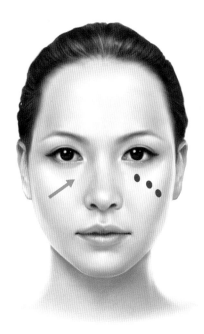

Figure 11-22.
Cannula: Linear threading technique / Submuscular
Needle: Vertical injection technique: / SubQ

(2) 주입 볼륨

깊이에 따라 다르지만 한쪽당 평균 0.5~1.5 cc를 주입한다.

(3) 경과 및 시술 전후 사진

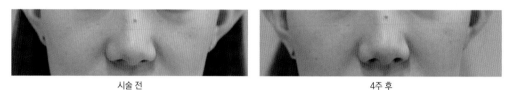

| 시술 전 | 4주 후 |

Figure 11-23. Midcheek groove
Perlane: 1 cc/side

아래 사진은 midcheek groove의 soft tissue가 얇은 경우이며, 이런 경우는 좀 더 적은
용량의 필러로 볼륨 augmentation이 가능하다.

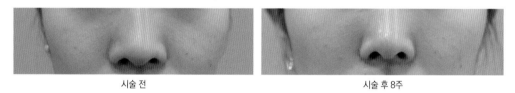

| 시술 전 | 시술 후 8주 |

Figure 11-24. Midcheek groove
Belotero volume: 0.5 cc/side

Midcheek groove 교정 시 tear trough가 있을 경우 아래와 같이 동시에 교정하는 것이
midface arc를 적절하게 만들어 낼 수 있다.

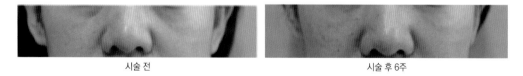

| 시술 전 | 시술 후 6주 |

Figure 11-25. Midcheek groove + Tear trough
Midcheek groove: Cutegel Max: Rt 1.3 cc, Lt;1.2 cc
Tear trough: Cutegel: 0.25/side
Cutegel Aqua: 0.25/side

아래 사진과 같이 Eyebag이 있고, Tear trough와 Midcheek groove가 같이 연결이 되어 있는 경우도 동시에 교정하면 적절한 midface arc를 만들어 낼 수 있다.

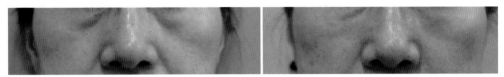

Figure 11-26. Midcheek groove + Tear trough + Eyebag

(4) 시술 시 주의 사항

Groove가 깊은 경우 한 번에 주입해서 교정하려고 하면, 오히려 교정하려는 groove선 밖으로 퍼져서 주변이 더 융기되어 보이면서, groove는 오히려 더 깊어 보일 수 있다. 이런 경우는 처음에 60-70% 교정하고, 어느 정도 조직이 느슨해지면 나머지 부분을 교정하는 것이 좋다.

(5) 해당 부위 부작용 및 해결법

facial artery의 detoured branch와 facial vein이 Midcheek groove를 따라 주행하기에 Needle을 사용해서 groove 교정 시 subdermal 혹은 supraperiosteal하게 주입해야 필러의 혈관 주입을 예방할 수 있다.

김현조

Infraorbital Hollowness: Tear Trough & Palpebromalar Groove

1. 디자인

Tear Trough Deformity 와 Palpebromalar Groove의 발생 원인은 다양하나, Orbicularis Retaining Ligament의 노화에 따른 피부의 변화가 중요 원인 중 하나로 추정된다(Figure 11-27).

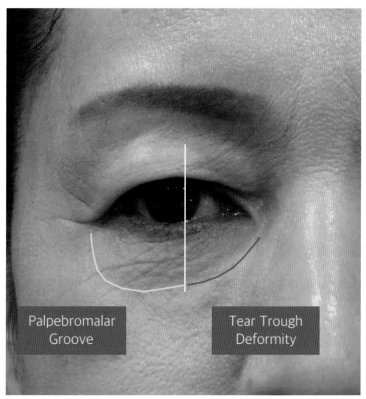

Figure 11-27. Tear Trough and Palpebromalar Groove

Orbicularis Retaining Ligament는 Medial pupillary line을 기준으로 내측은 Tear trough Ligament (TTL), 외측은 Lateral Orbicularis Retaining Ligament로 나뉘어 진다(Figure 11-28).

Tear Trough ligament는 Tear Trough deformity 원인 중 하나이고, Lateral Orbicularis Retaining Ligament의 노화로 인한 Laxity는 Palpebromalar Groove를 유발하게 된다.

Tear Trough Deformity의 주요원인이 Tear Trough Ligament인 경우 Tear Trough Ligament를 따라 디자인을 하며, Palpebromalar Groove의 경우 Lateral Orbicularis Retaining Ligament의 Laxity로 인해 발생하는 것이 일반적이므로 Lateral Orbicularis Retaining Ligament 피부가 꺼진 부위로 디자인을 한다.

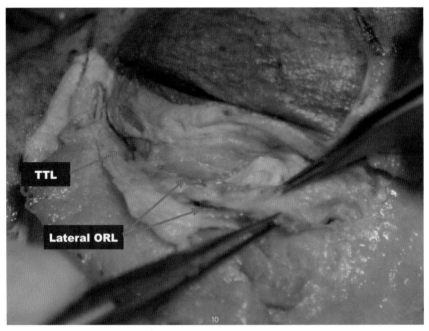

Figure 11-28. Tear Trough Ligament and Lateral Orbicularis Retaining Ligament

2. 마취

대부분의 경우 연고 마취로 충분하다.

3. 시술법

1) Needle vs Blunt Tip Microcannula

Tear trough ligament가 피부를 강하게 붙잡고 있는 경우에는(Figure 11-29) Blunt Tip Microcannula를 이용한 Subcutaneous Level (Retinacular cutis)에서 Tear trough

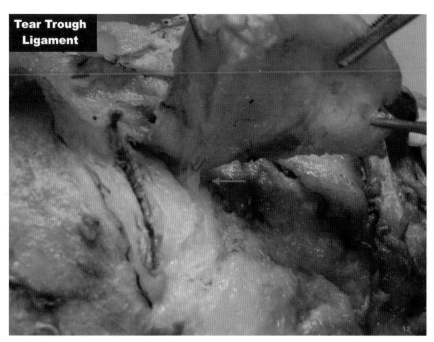

Figure 11-29. Tear Trough Ligament

Ligament의 release가 필요하기 때문에(Figure 11-30) Blunt Tip Microcannula의 사용이 필요하나, Tear trough ligament가 피부를 강하게 붙잡고 있지 않는 경우에는, 33게이지 니들을 사용하여 Orbicularis Oculi m. 상방으로만 필러를 주입하여도 효과적으로 교정이 가능하다(Figure 11-31).

Palpebromalar Groove 교정 시에는, 33게이지 니들을 사용하여 Lateral ORL상방, 피부가 꺼진 부위에 Periosteum Level로 필러를 주입한다(Figure 11-31).

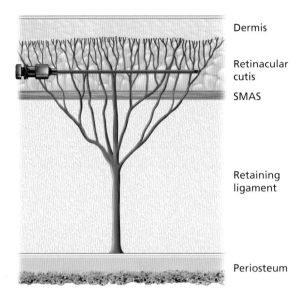

Figure 11-30. 캐뉼라를 이용한 Tear Trough Ligament Release

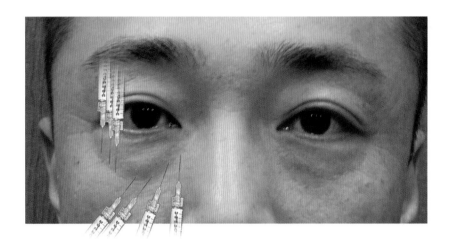

Figure 11-31. Tear Trough Deformity and Palpebromalar Groove 교정을 위한 필러 주입법

2) 주입 볼륨

이 부위는 소량의 필러 주입으로도 효과를 볼 수 있는 부위이다. Tear Trough Deformity 교정의 경우 편측당 0.2~0.5 cc, Palpebromalar groove의 경우에도 역시 편측당 0.2~0.5 cc의 필러 주입으로 충분한 효과를 볼 수 있다.

3) 경과 및 전후 사진

33게이지 니들을 사용하여 Tear Trough Deformity와 Palpebromalar Groove를 교정한 증례이다(Figure 11-32).

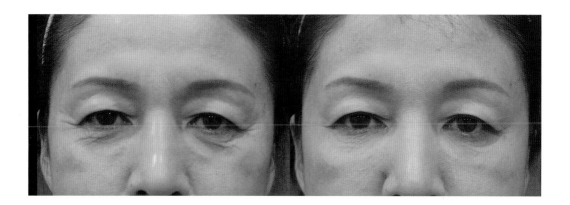

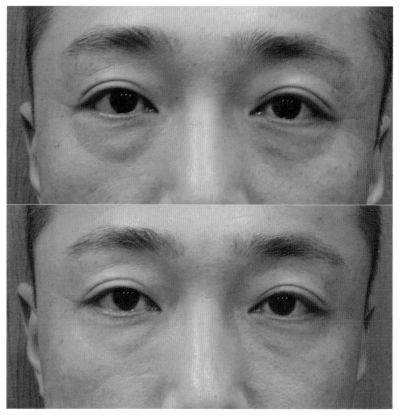

Figure 11-32. Tear Trough Deformity and Palpebromalar Groove 필러 시술 전후

4) 시술 시 주의 사항

Tear Trough Ligament가 피부를 강하게 붙잡고 있는 경우 이의 release없이 필러를 주입하는 경우, Tear Trough Deformity 위아래로 필러가 위치하여 미용적으로 상당히 불만족스러운 결과를 초래할 수 있으므로, Tear Trough Ligament를 release한 후 필러를 주입하는 것이 중요하다.

Tear Trough Deformity는 Angular artery & vein 주행과 유사하게 위치하는 경우가(Figure 11-33) 많으므로, 주사기의 aspiration 및 촉진을 이용한 arterial pulse 확인 등을 이용하여 Vascular Compromise의 예방을 항상 생각하며 시술하여야 하겠다.

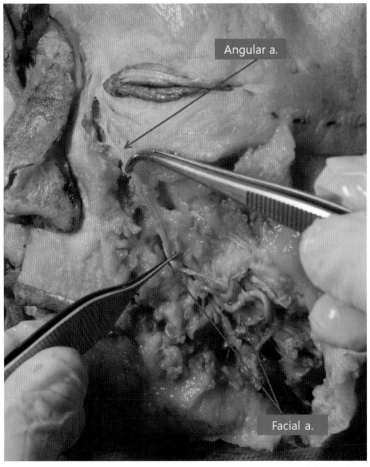

Figure 11-33. Tear Trough Deformity and Palpebromalar Groove 필러 시술시 주의해야 할 혈관

Midcheek Groove and Nasojugal Groove

1. 디자인

"인디언 밴드"라는 용어로 많이 통용되고 있으나 "인디언 밴드"는 인종차별주의적인 용어가 될 수 있으므로 Midcheek Groove and Nasojugal Groove라 불러야 하겠다.

Zygomatic Cutaneous Ligaments가 피부에 강하게 부착되는 경우 나타나게 되는데, 대부분 Anteromedial Cheeks의 볼륨 감소를 동반하므로 이 부위를 함께 교정해 준다는 개념으로 디자인을 한다(Figure 11-34).

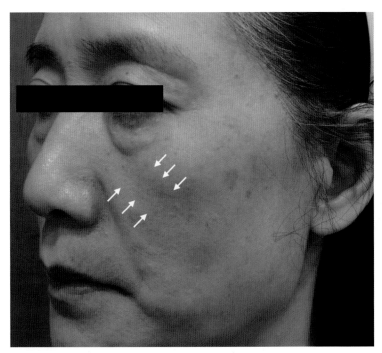

Figure 11-34. Nasojugal Groove and Midcheek Groove

2. 마취

Zygomatic Cutaneous Ligaments의 release가 필요한 경우가 많고, release시 비교적 심한 통증을 유발하게 되므로, infraorbital nerve block과 연고마취를 함께 시행한다.

3. 시술법

1) Needle vs Blunt Tip Microcannula

Zygomatic Cutaneous Ligaments의 retinacular cutis level에서의 release가 필수적이고 (Figure 11-35, 36), Anteromedial Cheeks의 Augmentation이 필요한 경우가 많기 때문에 필자는 Blunt Tip Microcannula를 이용하여 시술한다.

Retinacular cutis level에서 Zygomatic Cutaneous Ligaments를 release하기 위해 23

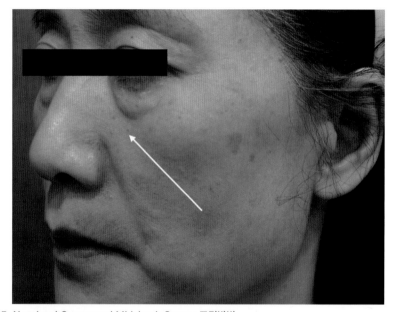

Figure 11-35. Nasojugal Groove and Midcheek Groove 교정방법

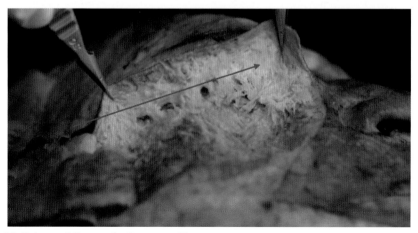

Figure 11-36. Release of Zygomatic-Cutaneous Ligaments

gauge Blunt Tip Microcannula를 Retinacular Cutis Level (Subcutaneous Level)에서 전후좌우로 반복적으로 움직이게 되면 중등도의 저항감과 함께 섬유조직이 뜯기는 듯한 느낌을 받게 된다. 약 10여 회 정도의 반복을 하게 되면 23gauge Blunt Tip Microcannula의 움직임이 부드러워지게 되는데, 이후 필러 주입을 시작한다.

필러 주입 시 Syringe를 잡지 않은 손으로 Midcheek Groove의 양쪽 경계를 잡아 필러의 이동을 제한하면서 주입하면 더욱 효과적이다.

2) 주입 볼륨

Midcheek Groove만 교정할 경우에는 편측당 0.5-1 cc, Anteromedial Cheeks를 함께 교정할 시에는 편측당 1-2 cc 정도의 필러가 주입이 된다.

3) 경과 및 전후 사진

Midcheek Groove와 Anteromedial Cheek을 함께 교정한 경우로 편측당 2 cc의 필러가 주입이 되었다(Figure 11-37).

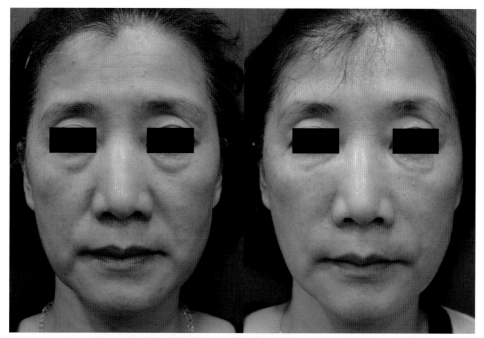

Figure 11-37. Nasojugal Groove and Midcheek Groove 필러 시술 전후

4) 시술 시 주의 사항

Zygomatic Cutaneous Ligaments의 충분한 release 없이 필러 주입 시 Midcheek Groove 를 더 악화시키는 결과를 가져올 수 있다.

동양인의 30%에서는 Facial a.의 Infraorbital Trunk(Detoured Brach)가 Subcutaneous Level로 주행하기 때문에(Figure 11-38) Zygomatic Cutaneous Ligaments의 Release전 피부 를 촉진하여 Artery Pulsation의 유무를 확인하는 것이 혈관 손상 예방에 도움이 될 수 있다. Zygomatic Cutaneous Ligaments의 Release 시에 Blunt Tip Microcannula를 과도하게 움 직이기보다는 최대한 gentle하게 시술하여 주변 조직의 손상을 최소화하는 것이 필요하다.

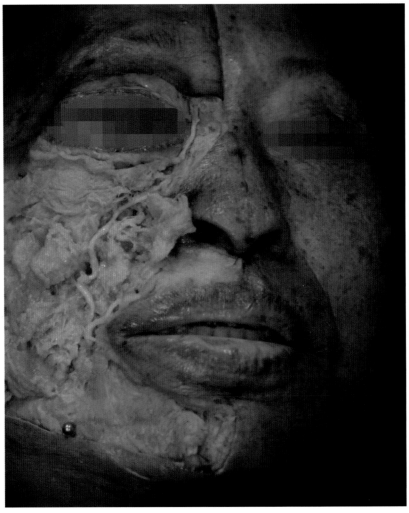

Figure 11-38. Detoured Branch of Facial Artery

참고문헌

1. Retaining ligaments of the face: review of anatomy and clinical applications. Alghoul M, Codner MA. Aesthet Surg J. 2013 Aug 1;33(6):769-82.

2. Anatomic study of the retaining ligaments of the face and applications for facial rejuvenation. Rossell-Perry P, Paredes-Leandro P. Aesthetic Plast Surg. 2013 Jun;37(3):504-12

3. The tear trough ligament: anatomical basis for the tear trough deformity Wong CH, Hsieh MK, Mendelson B. Plast Reconstr Surg. 2012 Jun;129(6):1392-402

4. Midcheek Lift Using Facial Soft-Tissue Spaces of the Midcheek. Wong CH, Mendelson B. Plast Reconstr Surg. 2015 Dec;136(6):1155-65.

5. 보툴리눔 필러 임상해부학 김희진, 서구일, 이홍기, 김지수 한미의학 2015

6. Clinical Anatomy of the Face. Joel E. Pessa, Rod J Rohrich. 김일환, 윤을식 역 정우의학서적 2013

7. New anatomical insights on the course and branching patterns of the facial artery: clinical implications of injectable treatments to the nasolabial fold and nasojugal groove. Yang HM, Lee JG, Hu KS, Gil YC, Choi YJ, Lee HK, Kim HJ. Plast Reconstr Surg. 2014 May;133(5):1077-82

8. Facial soft-tissue spaces and retaining ligaments of the midcheek: defining the premaxillary space. Wong CH, Mendelson B. Plast Reconstr Surg. 2013

9. Anatomic study of the retaining ligaments of the face and applications for facial rejuvenation. Mendelson BC. Aesthetic Plast Surg. 2013 Jun;37(3):513-5

홍기웅

1. 안와하능선과 안와하공의 정의

아래 안와골의 경계 혹은 그 밑부문이 금이 가듯이 파여 보이는 것을 안와하능선이라고 하고 경계를 포함하여 눈 아래 부분이 꺼져 보이는 것을 안와하공이라고 한다. 이들은 각각 따로 나타날 수도 있고 나이가 들며 두 증상이 함께 나타날 수도 있다. 눈 밑이 파여 보이거나 꺼져 있게 되면 어둡게 그림자 지듯이 보이거나 나이 들어 피곤한 모습으로 보이므로, HA 필러를 이용한 교정이 필요하다. 흔히 눈 밑에 금이 가듯이 파여 보이거나 꺼져있는 이유나 양상에 관계 없이 모든 경우를 포함하여 단순하게 눈물고랑(tear trough)이라고 부르는 경우도 있다. 하지만 원인에 따라 시술방법을 달리해야 부작용없이 효과적으로 개선가능하므로 증상이 생기는 원인과 양상을 구분하는 것이 중요하다.

한국인의 경우 나이가 들어도 안와골이 심하게 꺼지는 경우가 드물고, 피부나 연부 조직도 서양인에 비해 상대적으로 두꺼워서 안와골의 경계를 따라 금이 가듯이 파이는 눈물고랑만 나타나는 경우가 있다. 눈물고랑을 세분화하여 내측에 생기는 눈물고랑변형(tear trough deformity), 외측에 생기는 눈꺼풀관골능선(orbitomalar groove)로 나눌 수 있다. 보통 osteocutaneous retaining ligament에 의해 얇은 눈꺼풀피부와 두꺼운 코쪽과 앞광대쪽의 피부의 두께로 인해 생기는 경계를 따라 형성이 된다. 이 중 tear trough deformity는 눈 아래 안쪽 1/3 정도가 파여 보이는 것을 말하는데 내안각(medial canthus)부터 orbit의 내하방에 위치하고 길이는 3 cm 이내이다. 내안각부터 medial pupillary line까지의 med. orbit를 따라 파이는 natural depression으로 해부학적 요인에 따라 젊은 나이에도 볼 수 있다. 보통 나이가 들면서 더 심해져서 점점 바깥쪽이 파여있는 palpebromalar groove까지 보이게 되고 나중에는 내측과 외측이 이어져 전체가 금이 가듯이 파여 보이는 완전한 눈물고랑을 보게 된다.

눈 밑 팔자주름이라고도 하는 midcheek groove의 내측 부위에 해당되는 nasojugal groove

를 일부에서 눈물고랑과 같은 것으로 얘기하는 경우도 있으나 실제로 그 양상이나 원인이 다르므로 해부학적으로 구분 짓는 것이 필요하다. 눈물고랑은 안륜근의 palpebral portion과 orbital portion 사이에 형성되는 것에 반하여 nasojugal groove는 안륜근의 내측 orbital portion과 levator labii superioris alaeque nasi muscle (LLSAN)의 origin 사이에 형성이 된다. 안륜근 orbital portion의 내측은 안쪽으로 가면서 가름해지며 band를 만들어 medial canthal tendon에 insetrion하게 된다. 납작하고 갸름해진 orbital portion의 위, 아래에 각각 위치하는 눈물고랑과 nasojugal groove는 내안각 부위에서는 붙듯이 가까워지는 양상을 보이게 된다. Nasojugal groove는 보통 안륜근 내측 orbital portion의 band가 심할 경우 LLSAN의 수축에 의해 나타나는데 선명하게 금이 간 것처럼 파여 보이는 눈물고랑보다는 조금 옅게 나타난다. 안쪽 시작점은 눈물고랑과 비슷하나 바깥쪽으로 가면서 약간 더 밑으로 기울어져서 보이게 되며, nasojugal groove가 심할 경우 zygomatico cutaneous lig.에 의해 광대 중간 부위가 금 가듯이 파여 보이는 인디언밴드라고 불리우는 midcheek groove와 한 줄로 이어지는 양상을 보이게 되는데 이어진 전체를 midcheek groove라고 부르기도 한다 (Figure 11-39).

나이가 들면 안와하능선과 함께 안와부 주변이 꺼져 보이는 안와하공을 볼 수 있는데 그 양상에 따라 안와하공은 다음과 같은 세 가지 class로 나눌 수 있다.

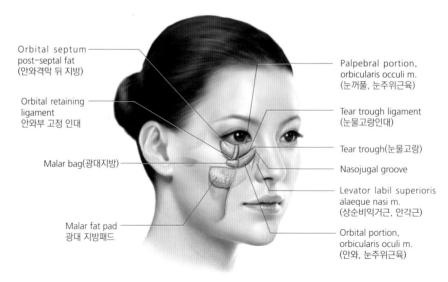

Figure 11-39. DDx between tear trough and nasojugal groove

• Class 1: 눈물고랑과 동반되어 주로 medial orbit쪽이 꺼지는 경우로 central cheek의 경미한 flattening이 동반되기도 한다.

• Class 2: med. orbit의 꺼짐이 심해지면 눈물 고랑과 함께 midcheek groove의 med. portion인 nasojugal groove도 나타나게 되며 보통 lateral limbus line 바깥쪽의 orbit가 같이 꺼지는 경우로 med. cheek의 mild volume deficiency, central cheek triangle의 mild flattening이 동반되기도 한다.

• Class 3: 전체 orbit rim을 따라 circumferential하게 꺼지는 경우로 바깥쪽의 infraorbital rim과 parallel하게 가는 indentation인 눈물고랑의 lat. portion에 속하는 palpebromalar groove 혹은 눈꺼풀-볼 접합점능선(lid-cheek junction groove)를 볼 수 있는데 med. cheek의 deficiency와 함께 central cheek triangle이 reverse하게 바뀌게 되며 nasojugal groove가 심해지면서 바깥쪽과 전체적으로 이어지는 oblique midcheek groove와 malar bag 등이 동반되게 된다. 서양인의 경우 안와하공이 있을 경우 아래 눈꺼풀 palpebral portion의 피부도 더 얇아지고 꺼지는 양상을 보이는 경우가 많으나 동양인의 경우 보통 안와지방의 bulging으로 인하여 눈꺼풀의 palpebral portion은 불룩해 보이는 경우가 많다.

2. 해부학적 고려 사항

눈물고랑은 앞에서 말했듯이 안륜근의 palpebral portion과 orbital portion의 경계 부위에 위치하고 malar fat pad의 cephalic border에 해당되는데 보통 orbital rim보다 몇 mm 아래쪽에 위치하며 전에는 내측의 눈물고랑 부위에서는 안륜근이 뼈에 바로 붙고 바깥쪽의 눈물고랑 부위에서는 근육의 부착이 orbicularis retaining ligament (ORL)에 의해서 ligamentous해진다고 하였으나 최근 해부학적 연구 발표에 의해 내측 눈물고랑 부위에도 바깥쪽과 마찬가지로 따로 tear trough ligament (TTL)가 groove 아래 존재하여 이 부위의 피부를 인대처럼 잡아당기고 있음이 밝혀졌다.

눈물고랑의 원인은 다양하다. 우선 근본적으로 groove를 만드는 내측의 tear trough ligament와 외측의 orbicularis retaining ligament가 있고 여기에 lid-cheek junction의 피부 두께와 texture의 차이, subcutaneous fat layer의 두께 차이가 경계 부위를 더 심하게 하며 안와지방의 bulging이 동반되면 groove는 더욱 강조되어 보이게 된다.

안륜근의 medial muscular band가 강하게 있으면서 LLSAN와 LLS가 수축하는 경우 midcheek groove의 내측 부위인 nasojugal groove가 두드러지게 되는데, 바깥쪽의 midcheek groove와 이어지면서 그 선이 더욱 짙어지는 양상을 보일 수 있다.

연령이 높아짐에 따라 증상들은 더 심해지게 되고 arcus marginalis 밑에 위치하는 deep fat 층인 SOOF가 꺼져 피부가 탄력을 잃고 눈 밑이 꺼져 보이게 되는 안와하공이 나타나게 된다. 눈물고랑 부위에서 발견되는 tear trough ligament (TTL)는 maxilla bone부터 피부까지 이어지는 true osteocutaneous ligament로 안륜근의 palpebral parts와 orbital parts 사이에 존재한다. 내측으로는 ant. lacrimal crest의 바로 아래에 있는 medial canthal tendon의 insertion level에서 시작하여 바깥쪽으로 대략 medial-pupil line까지 이어져 있다. 여기서부터는 upper and lower lamella 두줄로 이루어지는 orbicularis retaining ligament (ORL)와 이어지며, 이 두 줄의 ligament는 바깥쪽으로 외안각(lateral canthus) 부근부터 lateral orbital thickening으로 연장된다. TTL과 연결되는 ORL의 안쪽 부분은 좀 더 tight 하지만 바깥쪽 부분은 넓고 느슨하여 lateral hooding이 잘 온다. 안쪽 부위에 비해 필요하면 undermining에 의한 ligament의 release도 쉽고 안륜근 밑으로 충분한 공간 확보가 잘되므로 필러를 주입하기 용이하다.

조직학적 검사를 통해 ORL뿐만 아니라 TTL도 zygomatico-cutaneous ligament와 동일한 ligamentous nature의 특징을 나타내는 것을 볼 수 있으며 눈을 가늘게 하여 찌푸릴 때 TTL의 tethering effect에 의하여 더 파여 보이는 것을 볼 수 있다. 이 부분을 채우기 위해서는 필러 주입 시, 이 ligament보다 아래쪽에 주입하여 밀고 올라가 교정시켜주는 게 좋다. 또한 눈물고랑으로 인한 groove 자체 혹은 더 윗부분에 주입할 경우 tethering effect를 강조하여 deformity가 더 악화되는 것을 볼 수 있다.

나이가 먹을수록 해부학적으로 파여 보이는 눈물고랑을 포함한 안와하공은 탄력을 잃은 피부의 처짐, 안와지방의 돌출, 눈 주변 안와골과 연부조직의 볼륨의 감소, 중안면부 처짐 등이 생기면서 안륜근을 안으로 잡아당기는 듯한 꺼짐이 더 심해지고 안와하공 아래 부위는 tear trough ligament와 orbicularis retaining ligament의 피부 부착에 의해 처진 조직들이 매달려있는 듯한 모습으로 변하게 되어 필러 시술과 함께 이런 증상의 교정을 위한 다른 추가적인 치료들이 필요할 수 있다(Figure 11-40).

피부, superficial malar fat pad, 안륜근, deep malar fat pad, 상순검거근인 표정근육층,

눈물고랑은 눈 중앙부에서 볼에 이르는 부위를 말하며, 나이가 들수록 자연적으로 처지게 됩니다.

20대 초반의 젊은 환자라도 해당 부위의 해부구조학적 문제로 눈물고랑 부위의 변형이 있을 수 있습니다.

나이가 들수록 이 부위의 볼륨 손실로 인해 눈물고랑이 더 도드라지고 돌출돼 보이게 됩니다.

눈물고랑이 도드라져 보이면 아랫눈꺼풀자루 (eyelid bags. 돌출된 눈아래살)가 형성됩니다.

기타 눈에 띄는 아랫눈꺼풀 노화현상 :

• 눈가 지방 손실
• 피부탄력 손실

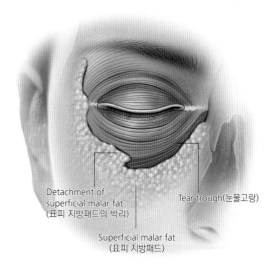

Detachment of superficial malar fat
(표피 지방패드의 박리)

Tear trough(눈물고랑)

Superficial malar fat
(표피 지방패드)

Figure 11-40. 눈물고랑과 동반되는 눈밑의 변화

뼈막층으로 나누어지는 앞광대에는 뼈막층의 깊은 곳에서 시작해 피부까지 이어지는 내측 위에서 바깥쪽 아래로 비스듬하게 가로지르는 zygomatico cutaneous ligament가 있어 이 ligament가 발달하게 되면, 우리가 Indian band라고 부르기도 하는 midcheek groove혹은 furrow를 볼 수 있다. midcheek groove의 경우 zygomatico cutaneous ligament를 따라 광대 부분에 섬유화되어 길게 띠처럼 변해 눌린 부위가 보이는데 이 ligament를 중심으로 superf. and deep malar fat pad는 위, 아래로 나뉘게 되어 나이가 들어갈수록 ligament 아래쪽에 있는 deep medial cheek fat은 위축되어 꺼지고 이에 따라 그 위에 있는 superf. fat인 nasolabial fat과 medial cheek fat은 지지층이 줄어들어 밑으로 처지는 데 반하여 ligament 위쪽에 있는 SOOF를 포함한 superf. and deep malar fat pad는 ligament가 잡아주고 있어 밑으로 처지지 않아 위, 아래의 경계의 차이가 더 확연하게 나타나고 웃거나 표정을 지을 때 이 부분은 안에서 잡아 당기는 ligament의 섬유띠로 인해 잘 움직이지 않아 groove가 파여 보이는 것이 더 심해질 수 있다. 시술 시 이 groove만 따로 교정을 원하는 경우도 있고 midcheek groove와 함께 앞광대 부분이 전반적으로 꺼져서 동시에 교정을 요하는 경우도 볼 수 있다. Midcheek groove의 내측 위쪽에 해당하는 nasojugal groove까지 길게 연장되어 생기기도 하는데, 보기에 내측부터 끊김없이 한 줄로 이어져 있는 것처럼 보이기도 하고 중간에 선이 약간 꺾이면서 이음이 끊어져 있는 것처럼 보이는 경우도 있다. 보통 끊어

져 보이는 부분부터 zygomatico cutaneous ligament가 바깥으로 있다고 볼 수 있다(Figure 11-41).

Midcheek groove의 내측에 해당하는 nasojugal groove를 따라 근육 밑으로 깊게 주행하는 angular vein과 동양인의 30%에서 inf. orbit의 내측과 아래 눈꺼풀 부위로 우회하는 duplex angular art.의 infraorbital branch가 지날 수 있는데 깊은 지방층인 SOOF과 deep medial cheek fat의 lat. part의 아래쪽 border를 따라 주행하다가 안륜근의 medial border를 타고 올라가므로 주의를 요하며 또한 infraorbital art.의 medial branch 역시 nasojugal groove 를 따라 주행하다가 nasojugal groove와 눈물고랑이 서로 접하게 되는 부위부터 표층으로 나와서 주행하게 되므로 이 접점 부위에 주사할 때는 특히 주의를 요한다.

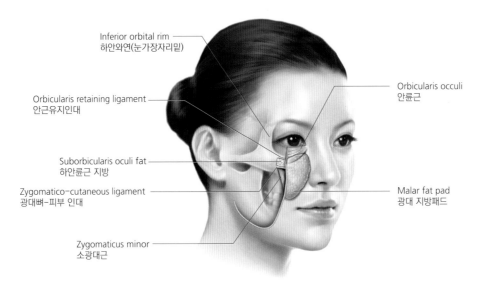

Figure 11-41. Zygomatico-cutaneous ligament

3. 시술 방법

필러 시술을 위한 주입면을 알아보기 위해 안륜근의 분포를 살펴보면 내안각 부위의 anterior lacrimal crest부터 medial orbit까지는 근육 위, 아래 지방 조직이 거의 없이 근육이 뼈에 인대처럼 납작하게 직접 닿아 있다. 하지만 이곳을 제외한 눈물고랑 부위는 안륜근의 위와 밑으로 superf. and deep malar fat이 존재한다. 안륜근 밑에 있는 깊은 지방층을 특히

suborbicularis oculi fat (SOOF)이라고 부르는데 med.과 lateral SOOF이 있으며 med. SOOF는 medial limbus line에서 외안각의 수직선까지 분포하고 lateral SOOF는 외안각의 수직선에서 temporal fat pad의 경계선(보통 외안각에서 그은 수평선)까지 분포한다. 눈물고랑의 내측은 근육이 밴드처럼 tight할 뿐 아니라 이와 같은 SOOF층이 존재하지 않아 근육 밑 지방층에의 주입이 근본적으로 불가능하다. 일부에서는 안와골 가까이에 놓는다고 하지만 근육이 밴드처럼 뼈에 붙어있어 근육과 뼈 사이 공간이 거의 없으므로 실제로는 안륜근의 속이나 위에 들어간다고 보면 된다. 따라서 눈물고랑의 내측 부위는 뼈막 위에 근육 속이나 근육에 붙여서 바깥쪽 부위는 SOOF에 해당되는 근육 밑 깊은 지방층에 눈물고랑의 경계 아래를 따라 부드러운 필러를 꺼진 부분을 아래서 밀고 올라가듯이 복구 시켜준 후 부분적으로 꺼진 부분이나 울퉁불퉁해 보이는 부분이 있을 때 안륜근 위쪽 부위의 진피 밑층에 아주 부드러운 필러를 얇게 주사하여 표면을 매끈하게 만들어 주는 게 좋다(Figure 11-42).

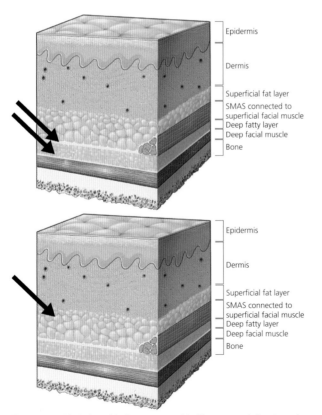

Injection plane

• Submuscular or supraperiosteal, except for the area near the medial canthus

1) Submuscular injection of HA filler at the lid/cheek junction area(including SOOF) (palpebromalar groove, middle and lateral orbital area)

2) Tear trough area – inter or upper space of muscular origin of orbicularis oculi muscle because the submuscular space is very tight and there is no SOOF in medial portion

3) Subdermal injection of HA filler for medial end because thinning of skin is severe due to deficiency of subcutaneous tissue volume and to smooth out the other irregular surface

Figure 11-42. Infraorbital groove and hollowness : Injection plane

눈 밑은 inf. palpebral vein을 포함한 여러 정맥들이 발달하여 니들을 이용하여 시술 시 이런 정맥들을 피해서 주사하도록 주의를 요하는데 보통 꺼짐의 정도가 심하지 않을 때나 눈물고랑의 내측 부위만 꺼져 있을 때는 니들을 이용해서 시술해도 괜찮다. 하지만 전체적으로 볼륨을 살려줄 때는 혈관의 손상을 피하기 위해 카뉼라를 사용하는 것이 좋다. 카뉼라 사용 시 med. pupillary line을 기준으로 orbital margin에서 아래로 8-10 mm 정도 떨어진 곳에서 infraorbital foramen으로부터 infraorbital nerve & artery가 나오므로 puncture site는 이를 피하여 lateral limbus line의 수직 연장선상에서 orbital margin으로부터 15-20 mm 정도 떨어진 곳에 만드는 것이 좋다. 이 자리는 바깥쪽에 위치하는 zygomaticofacial nerve & art.의 손상이 적다는 장점이 있다(Figure 11-43).

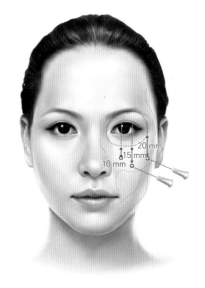

Injection entry point and direction

1) 1.5-2 cm apart from the lower orbital rim margin on the verticlal midline of the lateral limbus for only infraorbital hollowness
2) Lateral part of mid-cheek (1.5-2 apart from the lower orbital rim margin) on the vertical line of the lateral orbital rim inner margin for infraorbital hollowness and mid-cheek hollow
- Toward the tear trough and palpebromalar groove under the muscle including SOOF except for medial portion - intramuscular injection for medial portion of tear trough

Injection technique

- Retrograde fanning and linear threading injection
- Very slow release

Figure 11-43. Infraorbital groove and hollowness : Injection point

Puncture site를 통해 카뉼라를 삽입하여 꺼진 부위의 밑으로 부드럽게 진행하여 함몰 부위에서는 fanning 기법, 파인 고랑 부위는 retrograde linear threading 기법으로 시술하여 꺼져보이는 부분들을 자연스럽게 메꿔준다(Figure 11-44).

어느 정도 속을 채워준 후 내안각에 가까운 눈물고랑의 내측 부위는 눈물고랑 인대 조직이 피부를 강하게 잡아당기고 있어 가느다란 금이 가보이고 피부는 아주 얇고 피하조직의 볼륨이

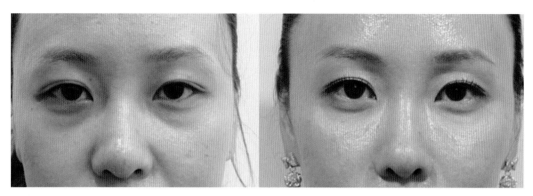

Figure 11-44. 눈물고랑 시술 전후

거의 없으므로 위에서 설명한대로 좀 더 얕게 상부 진피하에 아주 부드러운 필러를 추가 주입
하여 파인 금 부분을 평평하게 펴주어야 하며 다른 부위 중 피부 표면의 교정이 필요한 경우
에도 니들로 진피를 포함한 진피 밑층에 아주 부드러운 HA 필러를 추가 주입하여 마무리한다
(Figure 11-45).

Nasojugal groove의 경우 안쪽에 있는 deep medial cheek fat의 med. part와 바깥쪽에 있
는 SOOF과 deep medial cheek fat의 lat. part 사이에 형성되는데 위에서 설명한 groove를
따라 주행하는 혈관들을 조심하여 눈물고랑 외측 부위 치료기준에 준하여 시술 포인트를 잡

Injection entry point and level
• For medial end of tear trough deformity and
  other irregularly depressed portion after
  deep injection
• Subdermal injection to augment the fine
  depressed medial portion of tear trough
  deformity and to smooth out the surface
  around the rim

Injection technique
• Droplet technique all around the rim under
  the dermis
• Tenting technique for fine depressed
  medial end
  – Vital Light or diluted Restylane vital 0.2 ~
    0.3 cc for each area : 33 G nano needle

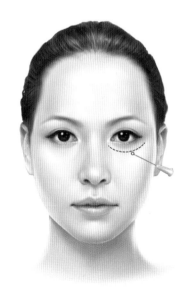

Figure 11-45. Infraorbital groove and hollowness : needle injection technique

고 시술하는 것이 좋다.

바깥쪽까지 길게 이어지는 midcheek groove의 경우 바깥쪽의 질긴 섬유띠를 풀어주기 위해 카뉼라를 이용해 시술하는 게 좋은데, 주입 포인트는 lateral orbital rim에서 수직선을 긋고 alar groove의 중간 지점에서 수평선을 그어서 이 두 선이 만나는 점 근처로 지나는 midcheek groove의 가장 아래점을 포인트로 잡아 시술하는 게 좋다(Figure 11-46).

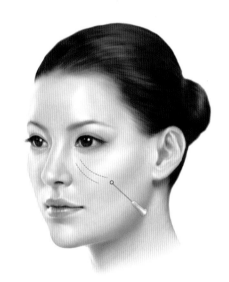

Mid-cheek groove injection entry point
• Lateral portion to groove requiring volume
• lower portion of mid-cheek groove around the vertical line of the lateral orbital rim and horizontal line of mid-alar groove

Mid-cheek groove injection technique
• Lineal threading and layering technique after undermining, if required
  – Perlane or subQ 0.7-1cc for each area of mid-cheek hollow or mid-cheek groove : 27 G or 23 G cannula or needle
  – Restylane lidocaine 0.3-0.5 cc each area for subdermal injection to smooth out the surface

Figure 11-46. Midcheek groove : Injection point and techniques for cannula

전체적인 midcheek groove를 위한 시술 시 니들로 진입 포인트를 puncture한 후 21~23 G 카뉼라를 삽입하여 groove 아래 있는 섬유화된 질긴 띠를 undermining한다. 어느 정도 필러가 들어갈 공간이 생기도록 풀어주어야 필러 주입 시 띠 부분은 살아나지 않고 띠 옆으로만 불룩해져서 midcheek groove가 더 도드라져 보이는 경우를 피할 수 있다. 어느 정도 undermining 후 다시 카뉼라를 이용하여 광대부위에서 시작되는 표정근육 위에 있는 SOOF를 포함한 deep malar fat pad를 retrograde linear threading과 layering tech.을 이용하여 살려준다. 이후 필요하면 superficial malar fat pad에도 필러를 골고루 layering 시켜주고, 섬유화 띠에 의해 피부가 눌려보이는 부분에는 진피층을 포함한 진피하에 얇은 바늘로 필러를 주사해 tenting시켜 준다. 앞광대 부위 midcheek groove 시술 후에는 시술부위에 과량의 필러가 뭉쳐 있거나, 띠 부분 옆으로만 보여있시는 않은지 안면중앙부를 잘 움직이게 하고 환자가 웃는 표정을 짓도록 하여 치료 결과를 확인하는 게 좋다.

광대 부위 midcheek groove를 제외한 안와하능선 및 안와하공 시술 시 권장 사항을 보면 시술 디자인은 환자를 앉힌 상태에서 눈을 뜨게 한 후 위에서 언급한대로 카뉼라 사용을 위한 진입 포인트를 디자인하는 것이 정확한 시술을 할 수 있고, 니들을 사용할 때는 시술 부위의 피부로 비춰보이는 정맥 혈관을 최대한 피하여 시술해야 한다. 시술 시에도 정확한 주입을 위해 눈을 뜨게 한 상태에서 매우 천천히 피부 밑에 bolus가 생기지 않도록 하면서 필러를 주입하고, 주입 후 불규칙적으로 뭉치지 않고 고르게 필러가 퍼지도록 아주 부드럽게 마사지해줘야 하며 시술 부위와 접해있는 orbital fat pad쪽으로 필러가 들어가지 않도록 주의해야 한다. 눈 밑은 시술 후 많이 붓는 부위이므로 필요하면 과도한 멍이나 붓기를 예방하기 위해 시술 후 24시간 정도는 cooling pack을 사용하도록 하는 게 좋은데 처음에는 너무 완벽하게 시술하려고 하지 말고 적당히 교정한 후 2주 정도의 간격을 두고 경과를 봐서 필요하면 마무리 시술을 하는 것이 좋다(Table 11-1).

Table 11-1. Injection procedure for infraorbital groove and hollowness

Do:
1. Have the patient sit up for the injection, with a fixation on the open eye
2. Avoid vascular structures
3. Inject under the orbicularis oculi muscle (except for medial canthus)
4. Undercorrect
5. Gently mold or sculpt after injection to avoid irregularities
6. Inject slowly so as not to create a bolus under the skin
7. Inject in 2 sessions with 2~4 weeks apart. Undercorrect 70% at first session and 30% at second session
8. Stay below infraorbital fat pad
9. Use caution around the lacrimal and lower eye lid fat pad
10. Instruct patient to apply an cooling pack over the treated area over the next 24 hours, to reduce edema & ecchymosis, if required

Do not:
1. Inject more than 0.5ml on each side per session

안와하능선이나 안와하공에 필러 시술 시 bruising(멍), swelling(붓기), tenderness(압통), hematoma(혈종) 등이 잘 생기므로 주의를 요하고 얕게 많은 양을 주사 시 주입한 필러 gel이 비춰보이는 tyndall 현상이나 불규칙적으로 띠처럼 도드라져보이는 beading이 나타날 수 있으므로 항상 과도하게 시술하지 않는 게 좋은데 보통 한쪽에 시술하는 양이 한번에 0.3~0.5

ml 정도를 넘지 않는 것이 좋다(Table 11-2).

Table 11-2. Side effects of HA filler injection for Infraorbital groove and hollowness

(1) Bruising
(2) Swelling
(3) Tenderness
(4) Hematoma
(5) Visible irregularities (beading) : especially when injecting superficially
(6) Overcorrection
(7) Accentuation of mid-cheek groove : due to change of subcutaneous fat or dermal component
(8) Visible gel (Tyndall effect)

하안검 부위에 주름이나 피부 늘어짐이 심한 경우, 피부가 매우 얇은 경우, 심한 색소 침착이 있는 경우, 눈밑 안와 지방의 돌출이 현저한 경우, 눈 주위의 심각한 알러지나 부종 경력이 있는 경우, 과거에 하안검 수술 등을 받았거나 혹은 다른 이유로 흉터 조직이 있는 경우 등에는 안와하능선이나 안와하공에 필러 시술시 효과가 충분히 나타나지 않을 수 있고 오히려 다른 문제가 생길 수 있으므로 주의를 요하며 다른 치료를 같이 병행해야 되는지 확인하는 것이 좋다.

참고문헌

1. Yang HM, Lee JG, Hu KS, et al. New anatomical insights on the course and branching patterns of the facial artery: Clinical implications of injectable treatments to the nasolabial fold and nasojugal groove. Plast Reconstr Surg. 2014;133:1077-1082.

2. Koh KS, Kim HJ, Oh CS, Chung IH. Branching patterns and symmetry of the course of the facial artery in Koreans. Int J oral Maxillofac Surg. 2003;32:414-418.

3. Stutman RL, Codner MA. Tear trough deformity: review of anatomy and treatment options. Aesthetic Surgery Journal, 32(4):426, 2012.

4. Wong CH, Hsieh MK, Mendelson B, The tear trough ligament: Anatomical basis for the tear trough deformity. Plast Reconstr Surg. 129:1392, 2012.

5. Mendelson BC, Muzaffar AR, Adams WP, et al. Surgical anatomy of the midcheek and malar mounds. Plast Reconstr Surg. 110:885, 2002.

이용우

1. 디자인

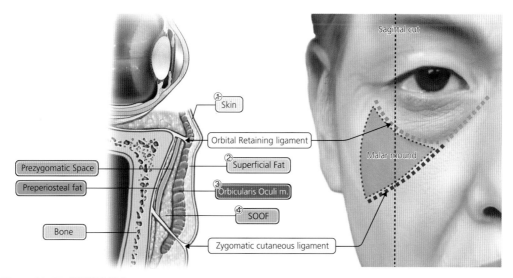

Figure 11-47. 해부학적 경계

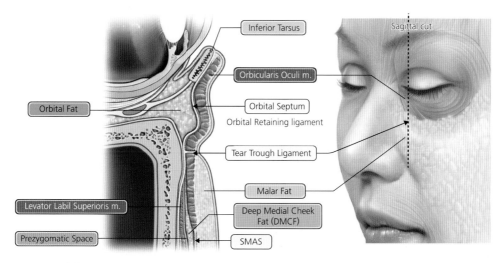

Figure 11-48. 단면도

2. 마취

주사가 들어가는 자입점에만 피하지방 마취를 시행한다.

3. 시술법

1) Needle vs Cannula

23 G 1.25인치 주사바늘을 사용하며 바깥쪽 끝 주입점으로 한 번에 들어가 안쪽까지 모두 시술한다.

2) 주입 볼륨

한쪽당 0.5 cc 이하의 필러를 사용한다. 0.5 cc 이상의 주입이 필요하다고 생각되는 꺼짐이 심한 환자의 경우이더라도 2주 경과 후에 더 넣어주는 것이 좋으며, 초기에 많이 주입하지 않는다.

3) 시술 시 주의 사항

눈물고랑(tear trough)의 시술과 orbitomalar groove의 시술 시에는 반드시 아래쪽에 있는 눈확지지인대(orbital retaining ligament)의 구조를 염두에 두고 시술해야 한다. 눈확지지인대는 진성지지인대로 뼈에서부터 피부까지 도달해있다. 그 중에서 안쪽 부분인 눈물고랑 부위의 지지인대가 orbitomalar groove보다 더 강력하게 피부를 잡고 있기 때문에 눈물고랑이 임상적으로 orbitomalar groove보다 강하게 나타나며 교정하기도 더욱 어렵다.

눈물고랑의 교정 시에는 전반적으로 뼈 위쪽의 깊은 층에 볼륨 보강도 필요하지만 표면에서 급격하게 꺾임을 보이는 환자에게는 표면쪽에 필러 주입이 필요하기도 하다. 이때는 많은양의 필러를 넣게 되면 추후에 이 부위가 볼록하게 튀어나와 보일 수 있기 때문에 적은 양의 필러를 넣고 필요하면 추가 주입하는 것이 좋다. 또한 피부가 얇은 환자에서는 너무 표면에 필러가 주입되면 틴들현상(tyndall effect)이 발생할 가능성이 높기 때문에 이를 항상 염두에 두어야 한다.

상대적으로 orbitomalar groove는 피부와 지지인대가 강하게 결합하고 있지 않기 때문에 피하층 필러 주입만으로도 좋은 효과를 볼 수 있다. 또한 이 부위와 눈물고랑에서는 눈확지지인대보다 위쪽으로(cephalic) 필러가 주입되면 오히려 굴곡을 더 심하게 만들 수 있기 때문에 반드시 눈확지지인대 아래쪽(caudal)에만 필러가 주입되어야 할 것이다.

흔히 인디언밴드(indian band)라고 부르는 midcheek groove는 보통 눈동자 중심선(midpupillary line)으로 부터 바깥쪽으로 이어져있으며 이는 관골지지인대(zygomatic retaining ligament)로 인하여 생기게 된다. 이 부위도 눈물고랑이나 orbitomalar groove처럼 지지인대가 직접 피부를 잡고 있기 때문에 깊은 층 필러 주입뿐만 아니라 피하층에 얕게 필러를 넣는 것이 필요하다. 이 부위는 눈물고랑보다는 피부의 두께가 두껍기 때문에 틴들현상이 잘 나타나지는 않지만 환자에 따라서 틴들이 나타날 가능성을 염두에 두어야 하며, 너무 얕게 필러가 주입되고 잘 펴지지 않았을 때는 웃을 때 필러가 들어간 부위가 볼록하게 올라와 보일 수 있으니 주의하여 시술해야 한다.

또한 눈 아래 꺼짐 시술에서 전반적인 앞턱뼈 부위(maxillary region)의 꺼짐이 있는 경우에는 눈물고랑의 아래쪽 부위나 midcheek groove의 주변부위에 전반적인 볼륨의 보강이 필요하다. 지방층의 변화와 노화 과정은 전반적으로 광범위하게 일어나는 과정이기에 주름이 보인다고 주름의 직상방에만 시술하면 주변과 조화를 이루지 못하고 더욱 어색한 모습이 될 수도 있기에 해부학적으로 노화의 과정을 잘 이해하고 시술하는 것이 중요하다.

4) 해당 부위 부작용 및 해결법

눈 주변에는 많은 혈관들이 지나가고 있으며 동맥뿐 아니라 정맥을 터트렸을 때에도 멍이 오랫동안 잘 보일 수 있기 때문에 주의를 기울여야 한다. 특히 눈구석정맥(angular vein)이 눈물고랑의 바깥쪽 끝인 눈동자 중심선 부위로 지나는 일이 많기 때문에 이 정맥을 터트리기 쉽다. 이를 예방하기 위해 머리가 위쪽으로 올라오는 자세로 (reverse trendelenburg position) 시술하거나 시술 전 에피네프린이 들어간 마취제를 사용하거나 얼음 찜질을 하여 정맥 직경을 줄여놓는 것이 도움이 된다. 또한 눈물고랑과 같은 부위는 누워있을 때와 서있을 때의 필러 넣은 후 모양에 많이 차이가 나기 때문에 머리가 올라오게끔 살짝 기울인 자세가 필러 주입의 적정량을 맞추는 데도 도움이 된다.

눈 아래 꺼짐 부위를 시술하다보면 눈확아래구멍(infraorbital foramen)에서 올라오는 infraorbital nerve를 만나게 될 수 있다. 물론 얕은 부위 시술 시에는 말단 가지(distal branch)와 만나겠지만, 깊은 부위 주입 시에는 주 가지(main branch) 손상이 올 수도 있기 때문에 필러 주입 시 환자가 통증을 심하게 호소하거나 주사바늘이나 캐뉼러의 끝에 강한 저항감이 느껴질 때는 그 부위를 피해서 시술하는 것이 좋다.

눈 아래 꺼짐 시술은 오히려 팔자주름의 시술보다 실명과 연관성이 적은 편이다. 물론 안전한 부위라고 할 수는 없지만, 아무래도 눈물고랑의 안쪽 끝부위를 빼고는 눈구석동맥(angular artery)과 만날 가능성이 적기 때문일 것이라 생각된다. 하지만 얼굴동맥(facial artery)이 얼굴 안쪽의 눈구석동맥 외에도 눈동자 중심선 쪽으로 혈관 분지를 내는 경우도 있기 때문에 가능하면 시술 반대쪽 손으로 눈 안각부위를 눌러서 막고 시술하는 것이 도움이 될 것이다.

참고문헌

1. Huang YL, Chang SL, Ma L, et al. Clinical analysis and classification of the dark eye circle. International Journal of Dermatology, 53(2):164, 2014.

2. Stutman RL, Codner MA. Tear trough deformity: review of anatomy and treatment options. Aesthetic Surgery Journal, 32(4):426, 2012

3. Lambros V. Observations on periorbital and midface aging. Plast. Reconstr. Surg. 120:1367, 2007.

4. Wong CH, Hsieh MK, Mendelson B. The tear trough ligament: Anatomical basis for the tear trough deformity. Plast. Reconstr. Surg. 129:1392, 2012.

5. Haddock NT, Saadeh PB, Boutros S, et al. The tear trough and lid/cheek junction: Anatomy and implications for surgical correction. Plast. Reconstr. Surg. 123:11332, 2009.

안와하능선과 안와하공 시술 한 눈에 비교하기

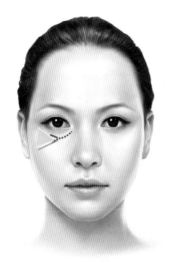

윤춘식-안와하능선과 안와하공

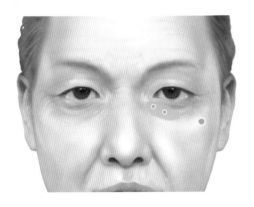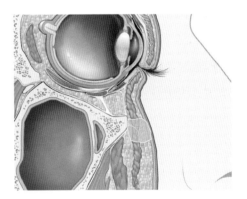

김현조-안와하능선과 안와하공

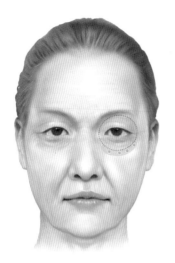

홍기웅-안와하능선과 안와하공

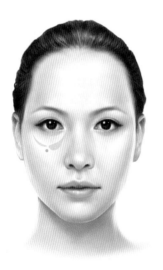

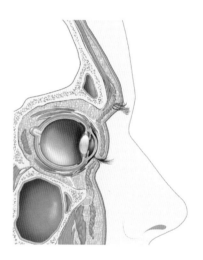

이용우-안와하능선과 안와하공

	윤춘식	김현조	홍기웅	이용우
주사기/캐뉼라	30 G	23 G 캐뉼라 and/or 33 G	캐뉼라 30 G 사용, 니들 30 G 사용	주사기 23 G
한쪽당 주입량	0.4-0.8 cc	0.2-0.4 cc	Deep injection : 0.3-0.5 cc Superficial injection : 0.2-0.3 cc	1 cc 전후
필러 강도(G*) 선택 : 더채움필러 No.1,2,3,4 [판매사: 휴젤(주)] 기준	넘버 1 or 2	넘버 1 or 2	넘버 1	넘버 2
마취방법	마취 연고	마취연고 and/or 신경 리도케인 마취	캐뉼라 사용 시 : 마취연고 후 진입포인트만 국소리도케인 주사 니들 사용 시 : 마취연고	국소 리도케인
주입 테크닉	Linear threading tech.	Linear Threading and Bolus(Point) Injection	Retrograde fanning and linear threading injection technique for deep injection Microdroplet and tenting technique for superficial injection	bolus 테크닉
주입층	Tear trough: 근육 내 혹은 근육 및 Palpebromalar groove: SOOF	Periosteum layer and/or Subcutaneous layer	Deep injection : 1) middle and lateral orbit : SOOF under the OOM 2) medial orbit : intermuscular space Superficial injection : subdermal layer – 깊은 곳을 채운 후 표면을 매끈하게 마무리하기 위하여	가능하면 SOOF 레벨에 깊이 넣어준다. 뼈막층 위에 넣어준다는 느낌으로

chapter 12

애교

홍기웅

1. 시술 전 고려 사항

Tarsal plate가 있는 lower eyelid의 안검연은 약 2 mm 정도의 폭을 가지는데 눈 안쪽 부위는 각이 져서 안검판 부위가 안구에 잘 밀착하게 도와주고 바깥쪽은 동그스름하게 돼있어 흔히 이 동그스름한 부위를 애교살이라고 부른다. 애교살이라 부르는 눈 밑의 pretarsal fullness는 실제 눈밑안륜근 중 tarsal plate 앞에 있는 tarsal portion의 근육이 웃을 때 도드라지면서 subtarsal line 위에 부분이 roll cake처럼 둥글게 튀어나와 보이는 것을 말한다. 애교살이 또렷하게 있으면 귀엽고 어려보이면서 눈이 커보이는 효과가 있어 동양인들이 특히 좋아하나 서양인들은 애교살을 선호하지 않는다. 요즘 과한 애교살은 눈을 오히려 작아 보이게 하는 경향이 있으므로 적당한 크기와 모양의 애교살이 좋다. 젊었을 때는 단순히 웃는 듯한 귀여운 느낌의 인상을 위하여 애교살을 만드나 나이가 들면서 눈 밑 피부처짐과 함께 눈 밑 근육의 변형과 이완이 생기게 되면 눈 밑 애교살을 만드는 근육의 볼륨이 감소하고 쳐지게 되면서 애교살 부위의 부피가 감소하게 되어 눈 밑이 밋밋해 보이고 쳐지면서 피곤하고 뚱한 느낌의 이미지가 되어 애교살 시술이 필요할 수 있다. 이외에도 애교살을 만들어주게 되면 다크서클도 개선되고 피부의 팽창에 의해 fine wrinkle도 개선되는 효과를 볼 수 있다 (Table 12-1).

Table 12-1. Effects of pretarsal eyelid roll

- eyelid roll – bulkiness and contraction of orbicularis oculi muscle
- large eye effect
- to look pretty and young
- to improve dark circle
- to remove fine wrinkles (by skin expansion)
- 3-dimensonal effect of infraorbital area

애교살 주입 시 환자를 웃게 하여 눈 밑 애교살 근육이 수축할 때 생기는 주름선을 미리 체크해 표시한다. 이 밑으로는 되도록 볼륨을 키우지 않는 것이 좋은데 보통 subcilliary line으로부터 5-6 mm 정도의 두께가 적당하다. 애교살의 모양은 안쪽 눈구석부터 바깥쪽 눈구석까지 롤 케익처럼 전체적으로 고른 볼륨을 가지게 시술하거나 바깥쪽으로 가면서 좀 더 두꺼워 보이게 시술하는데 후자의 경우 lateral 1/3 portion이 가장 두꺼운 모양이 좋다. 이와 같이 애교살은 환자의 선호도에 따라 모양이나 두께를 어느 정도 다르게 시술할 수 있으며, 시술은 니들이나 카늘라로 할 수 있는데 좀 더 섬세한 모양을 만들기 위해서는 니들을 사용하는 것이 좋다.

2. 시술 방법

니들 사용 시 애교살을 만들고자 하는 시술 부위에 직접 니들을 삽입해 주입하고, 카늘라는 외안각에서 몇 mm 바깥쪽의 피부에 진입 포인트를 puncture 후 카늘라를 삽입하여 시술하는데 시술 순서는 눈의 바깥쪽부터 시작하여 안쪽으로 retrograde tiny injection tech., linear threading tech., serial puncture and tenting tech. 등으로 아주 부드럽고 천천히 볼륨을 살려나가야 한다(Figure 12-1).

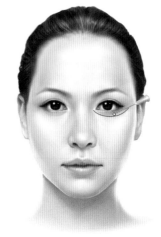

Injection technique
- Linear threading
- Retrograde tiny injection
- Very slow release
- Serial puncture and tenting

Figure 12-1. Pretarsal eyelid roll : Injection technique

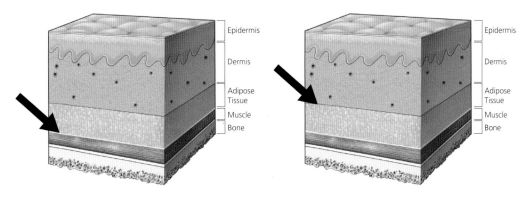

Injection plane
- Deep subdermal injection
- Subdermal injection for even surface
- Close to eyelash

Figure 12-2. Pretarsal eyelid roll : Injection plane

단단한 필러를 사용할 때는 울퉁불퉁하고 과하게 튀어나와 보일 수 있으므로 부드러운 HA 필러를 사용하는 것이 좋은데, 너무 깊게 주입하면 전체적으로 부해지기만 하고 봉긋하게 솟아 오르지 않는다. 또한 너무 얕게 주입하면 울퉁불퉁하게 보여 전체적인 라인이 이어져 보이지 않거나 부분적으로 튀어나와 보이고 피부표면에 비치는 tyndall 현상이 일어날 수 있으므로 주의를 요한다. 저자의 경우 안륜근을 포함한 진피밑층이나 안륜근 내에 먼저 필러를 주입하여 전체적인 모양을 만들어준 후 부분적으로 부족해 보이거나, 볼륨이 끊어져 비어 보이는 부위를 진피층을 포함한 진피하에 필러를 주입하여 표면을 매끄럽게 만드는 방법을 쓴다(Figure 12-2). 속눈썹과 가까운 부위에는 비어있고, 그 밑으로만 애교살이 두껍게 형성되는 것을 피하기 위해서 최대한 속눈썹 가까이에 붙여서 주입해야 하며, 눈 밑 안와 지방이 볼록할 경우 웃을 때 애교살과 지방이 합쳐져 눈 밑 전체가 부하게 부어 보일 수 있으므로 눈 밑 안와 지방의 불룩한 여부와 정도를 미리 체크하는 것이 좋다.

애교살 필러 시술을 추천하지 않는 경우는 기존의 eyelid roll muscle이 거의 없는 경우, eye fissure(안와열)가 너무 넓거나 좁은 경우, 눈꼬리가 너무 올라가거나 내려간 눈, 너무 함몰되거나 튀어나온 눈, 하안검 피부가 너무 두꺼운 경우, 안와 밑 다크서클이 심한 경우, 피부 이완이 심한 경우, 눈 밑 안와 지방이 너무 불룩하게 나온 경우, 하안검 성형 등으로 흉터가 있는 경우 등이 있다(Table 12-2).

Table 12-2. Contraindications of pretarsal eyelid roll

- Abscence of muscle for eyelid roll formation
- Too wide or narrow eye fissure
- Too high or low eye slanting
- Deep set or protruding eyes
- Too thick lower eyelid skin
- Severe infraorbital dark circle
- Lower eyelid scar due to previous surgery
- Severe skin laxity
- Too bulging lower eyelid orbital fat

이 중에서 하안검 성형을 받은 경우 대부분 눈 밑이 편평하여 애교 시술을 받아서 애교살을 살리는 것이 보기에는 좋은데 일단 흉터로 인해 속눈썹이 뒤집어져 보이는 경우는 처음부터 시도를 하지 않는 것이 좋으며 흉터가 심하지 않을 때는 속눈썹에 최대한 붙여 시술이 가능한데 처음부터 깊게 주입하면 흉터 부위로는 필러가 안 들어가고 흉터 아래 쪽으로만 필러가 퍼지면서 실제 위쪽의 흉이 있는 부위는 살아나지 못하므로 처음에는 얕게 주입해보고 나서 모양을 보며 약간 깊은 쪽으로 들어가는 것이 좋다. 보통 처음에는 수술 자국으로 인한 유착 때문에 필러가 골고루 퍼지지 않아 울퉁불퉁해 보일 수 있으나, 1~2주 정도의 기간 동안 눈을 떴다 감았다 하는 과정에서 주입된 필러가 자연스럽게 자리를 잡는 것을 볼 수 있다.

오랜 시간이 지났음에도, 울퉁불퉁한 부분이 개선되지 않는 경우, 살짝 파여 보이는 부분을 미세한 바늘을 이용해 필러로 메꿔 주면 교정이 가능하다.

참고문헌

1.　　Chen MC, et al. Anthropometry of Pretarsal Fullness and Eyelids in Oriental Women. Aesth. Plast. Surg. 37:617, 2013.

2.　　Putterman, A. M. Facial anatomy of the eyelids (Letter). Plast. Reconstr. Surg. 113:1871, 2004 (reply Plast. Reconstr. Surg. 113:1872, 2004).

이용우

1. 디자인

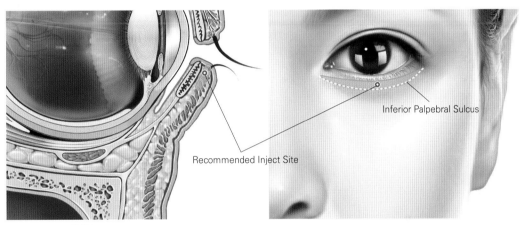

Recommended Inject Site

Inferior Palpebral Sulcus

Figure 12-3. 단면도

2. 마취

주사가 들어가는 자입점에만 리도케인 피하지방 마취를 시행한다.

3. 시술법

1) Needle vs Cannula

25 G 주사바늘을 사용하며 바깥쪽 끝 주입점으로 한 번에 들어가 안쪽까지 모두 시술한다.
리터치 시에는 29~31 G 니들로 부족한 부위에 직접 필러를 주입한다.

2) 주입 볼륨

한쪽당 0.1 cc 전후의 필러를 사용한다. 필요할 경우 이차 시술을 고려하고 HA 필러가 물을 끌어당기는 성질을 고려하여 계획보다 적은 양의 필러를 넣도록 한다.

3) 시술 시 주의 사항

눈썹에 최대한 붙여서 넣는 느낌으로 필러를 주입한다. 어짜피 눈썹에 아주 바짝붙는 부위는 저항이 심하여 주사바늘이 잘 들어가지 않으니 최대한 눈썹쪽으로 주사바늘을 넣다보면 부드럽게 진입되는 부위로 들어가게 된다. 대부분의 환자 불만은 필러가 생각보다 아래쪽(caudal)에 주입되어서 생기기 때문에 눈썹쪽에 필러를 붙여서 고르게 주입하는 것이 중요하다. 시술한 부위 뒤쪽으로 말랑말랑한 안구가 있어 시술 후 마사지로 필러를 고르게 펴는 것이 어렵기 때문에 처음부터 고르게 필러를 주입하는 것이 중요하다. 손으로 마사지가 어려울 경우에는 면봉 2개를 피부와 결막쪽에 한개씩 넣고서 피부쪽에서 위쪽으로 밀어올리는 방식으로 마사지를 하면 어느 정도 필러를 고르게 펼 수 있다. 시술 깊이는 안검(tarsus)의 바로 표면에 넣어준다는 느낌으로 넣되 안검을 긁는 느낌으로 넣을 필요는 없다. 해부학적으로 안검과 눈둘레근(orbicularis oculi muscle) 사이에 아주 적은 양의 지방이 존재하기 때문에 실제로 필러가 주입되는 층은 눈둘레근 내부가 되도록 하는 것이 좋다. 물론 눈둘레근보다 표면인 피하지방 층에 필러가 들어가면 더 좋은 모양을 만들 수 있지만, 대부분 아래눈꺼풀은 피부가 굉장히 얇고 피하지방층도 적기 때문에 틴들(tyndall effect)을 유발할 가능성이 높다.

4) 해당 부위 부작용 및 해결법

이 부위도 흔하게 접하는 부작용은 눈위꺼짐 시술처럼 주변 혈관을 터트리는 것이다. 이 부위는 한번 혈관이 터지면 금방 볼록함이 심하게 생기고 이것으로 인해 필러를 주변과 일정하게 넣기 어려워진다. 그렇게 때문에 혈관이 터져서 부풀어 올랐을 경우에 무리해서 필러를 넣기보다는 부기가 빠지고 안정된 이후 다시 필러를 넣어주는 것이 좋다. 애교 필러를 넣다가 맞이하는 혈관도 눈위꺼짐 처럼 혈관 자체가 매우 가늘기 때문에 혈관을 타고 필러가 들어가기보다 혈관을 찢어서 멍이 들기 때문에 심각한 부작용으로 이어지는 경우는 드물다.

참고문헌

1. Liew S. Nonsurgical Volumetric Upper Periorbital Rejuvenation: A Plastic Surgeon's Perspective. Aesth. Plast. Surg. 35:319, 2011.

2. Chen MC, et al. Anthropometry of Pretarsal Fullness and Eyelids in Oriental Women. Aesth. Plast. Surg. 37:617, 2013.

3. Kim YK, et al. Evaluation of Subciliary Incision Used in Blowout Fracture Treatment: Pretarsal Flattening after Lower Eyelid Surgery. Plast. Reconstr. Surg. 125:1479, 2010.

김현조

1. 디자인

일반적으로 애교살이라고 불리는 이 부위는 Orbicularis Oculi m.의 palpebral part 수축 시 상부 superficial fat이 수축되면서 발생되는 것으로, 웃는 표정을 지을 때, 대부분의 사람에게서 관찰되기는 하나 그 정도의 차이는 다양하다.

표정을 짓지 않을 때도 Lower Pretarsal Roll이 과도하게 존재하면 어색해 보일 수 있으므로 시술 시 이 부분을 염두에 두어야 하며, Infraorbital Crease상방 eyelid margin에 최대한 붙여 필러를 주입해야 자연스러운 모양을 만들 수 있다(Figure 12-4).

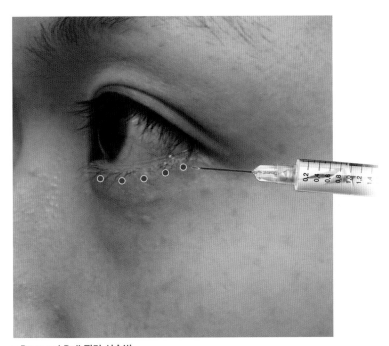

Figure 12-4. Lower Pretarsal Roll 필러 시술법

2. 마취

대부분의 경우 연고 마취로 충분하며, 리도케인이 포함된 필러를 사용하는 경우 연고 마취 없이 시술도 가능하다.

3. 시술법

1) Needle vs Blunt Tip Microcannula

Needle과 Blunt Tip Microcannula 모두 사용이 가능하나 소량의 필러 주입이 필요한 부위이므로 필자는 33게이지 Needle을 사용하여 3-5 군데 자입점을 잡아 시술하는 것을 선호한다.

2) 주입 볼륨

이 부위는 소량의 필러 주입으로도 효과를 볼 수 있는 부위이다. 편측 당 0.1-0.2 cc의 필러 주입으로도 만족할만한 결과를 얻을 수 있다.

3) 경과 및 전후 사진

편측 당 0.2 cc 주입한 증례로서 미소를 지을 때 자연스러운 애교살이 나타나는 것을 확인할 수 있다(Figure 12-5, 6).

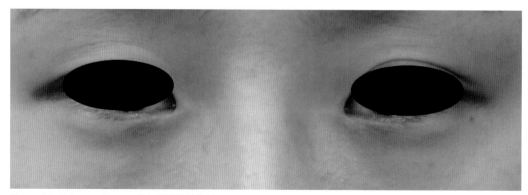

Figure 12-5. Lower Pretarsal Roll 필러 시술 전

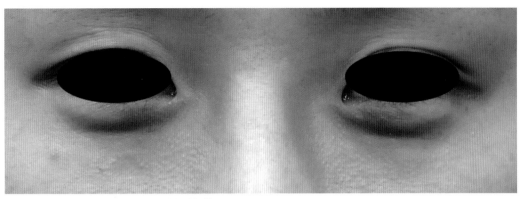

Figure 12-6. Lower Pretarsal Roll 필러 시술 후

4) 시술 시 주의 사항

Orbicularis Oculi m.의 하방으로 Inferior Palpebral Artery Arcade가(Figure 12-7) 주행하므로 Subcutaneous fat level로 주입하여야 vascular compromise의 위험성을 줄일 수 있다.

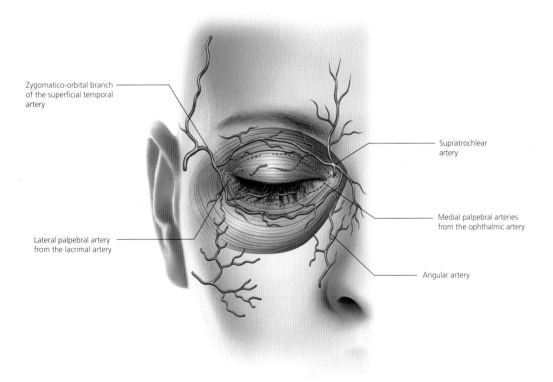

Figure 12-7. Lower Pretarsal Roll 필러 시술 시 주의해야할 혈관

참고문헌

1. 보툴리눔 필러 임상해부학 김희진, 서구일, 이홍기,김지수 한미의학 2015

2. 보톡스와 필러의 정석 이수근 한미의학 2011

3. Medial and lateral canthal reconstruction with an orbicularis oculi myocutaneous island flap. Han J, Kwon ST, Kim SW, Jeong EC. Arch Plast Surg. 2015 Jan;42(1):40-5.

애교살 시술 한 눈에 비교하기

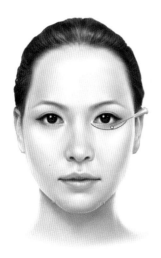 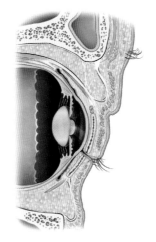

홍기웅-애교

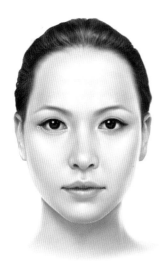 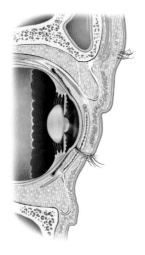

이용우-애교

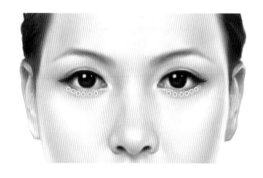 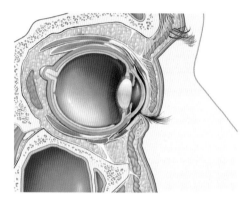

김현조-애교

	홍기웅	이용우	김현조
주사기/캐뉼라	캐뉼라 30 G 사용 니들 30 G 사용	주사기 25 G 1.25 inch	주사기 33 G 니들 사용
한쪽당 주입량	0.2-0.3 cc	0.1-0.2 cc 전후	0.1-0.2 cc
필러 강도(G*) 선택 : 더채움필러 No.1,2,3,4 [판매사: 휴젤(주)] 기준	넘버 1	넘버 2	넘버 1
마취방법	캐뉼라 사용 시 : 마취연고 후 진입포인트만 국소리도케인 주사 니들 사용 시 : 마취연고	국소 리도케인	마취연고
주입 테크닉	Retrograde tiny injection with linear threading technique : 캐뉼라 사용 시 Linear threading with serial puncture technique : 니들 사용 시	Bolus 테크닉	Bolus (Point) Injection
주입층	Upper muscular space에 주입하여 볼륨 을 만든 후 superficial subdermal space를 tenting 시켜서 표면을 매끈하게 마무리	검판의 위에 최대한 붙여서 넣는 느낌으로 최대한 위쪽으로 주입 하도록 한다.	Subdermal or Subcutaneous layer